当代中国微记录

GLIMPSES OF CONTEMPORARY CHINA

「购物那些事儿」

SHOPPING ADVENTURES

李禄兴　主编
李禄兴　编著

Chief compiler: Li Luxing
Compilers: Li Luxing

SinolinguA
华语教学出版社

First Edition 2019

ISBN 978-7-5138-1640-3

Published by Sinolingua Co., Ltd
24 Baiwanzhuang Road, Beijing 100037, China
Tel: (86)10-68320585 68997826
Fax: (86)10-68997826 68326333
http://www.sinolingua.com.cn
E-mail: hyjx@sinolingua.com.cn
Facebook: www.facebook.com/sinolingua
Printed by Beijing Xicheng Printing Co. Ltd

Printed in the People's Republic of China

编者的话

近年来，中国在国际上的影响力逐渐增强，很多人渴望了解中国，不仅想了解中国的古老文明，更希望了解当下的中国社会和普通中国人的日常生活。另外，随着孔子学院和孔子课堂在世界各地生根，大量学生，特别是中小学生在学习汉语过程中希望通过语言学习更直接地认识这个古老国家的今天是什么样子的。同时，笔者根据在海外多年的教学经历也体会到，如果一个学生对使用该语言的国家一无所知或知之不多，往往会影响他们对这种语言的学习兴趣。

了解中国，从细微处开始，于是有了这套“当代中国微记录”。这套书共10册，每一册着重介绍中国的某一方面，例如：饮食、交通、家庭，等等。针对新HSK水平考试5级以上，尽可能将词汇量限定在2500-5000范围以内。超范围词汇在词后直接加英文注释，以方便学习者阅读和理解。本套书以平民的视角、平实的语言和家长里短的故事性叙述，将当今中国的各个侧面展现在汉语学习者面前，汉语学习者可以边学汉语边达到了解现实中国的目的。为减轻学习者的畏难心理负担，每册书只有大概一万多汉字，并全部配有汉语拼音，附赠的拼音隐形卡可以给不需要拼音辅助的学习者提供帮助。书中有大量图片，便于学习者理解内容，对中国有更直观的认知。这套书可以作为孔子学院或孔子课堂的汉语教材使用，也可以做中国国情课的教材或汉语课外读物。

感知中国，从“当代中国微记录”开始！

编者

2011年12月26日

于中国人民大学

目录 | CONTENTS

Dàmā Ài Guàng Càishìchǎng

大妈爱逛菜市场

Wáng dàmā jīhū měi tiān dōu dào fùjìn de lùtiān
王大妈几乎每天都到附近的露天 (outdoor)

càishìchǎng mǎi cài. Tā juéde zhèli de cài bǐ chāoshì piányi,
菜市场买菜。她觉得这里的菜比超市便宜，

érqiě zhǒnglèi yě hěn duō. Xiàng Wáng dàmā zhèyàng de rén bù
而且种类也很多。像王大妈这样的人不

shǎo, línjū Lǐ dàmā, Wèi dàmā yě shì zhèyàng, suǒyǐ tāmen
少，邻居李大妈、魏大妈也是这样，所以她们

chángcháng yìqǐ qù.
常常一起去。

Zhège lùtiān càishìchǎng chúle
这个露天菜市场除了
mài cài, hái mài gè zhǒng shēnghuó
卖菜，还卖各种生活
yòngpǐn, yě yǒumài fúzhuāngxiémào
用品，也有卖服装鞋帽
de. Zhèxiē nián zhè lèi dàxíng de
的。这些年这类大型的
càishìchǎng yuèláiyuè shǎo le,
菜市场越来越少了，
dàbùfen dōu gǎichéng yǒu wūdǐng
大部分都改成有屋顶
de shìchǎng, huánjìng shūshì le,
的市场，环境舒适了，
zhìxù yě gèngjiā guīfàn le.
秩序也更加规范了。

Càishìchǎng li de cài dōu shì
菜市场里的菜都是
dāngtiān zǎoshang zhāi de, suǒyǐ
当天早上摘的，所以
hěn duō cài hái dàizhe nítǔ hé
很多菜还带着泥土和
zǎochen de lùshuǐ. Huángguā
早晨的露水(dew)。黄瓜
shang hái dàizhe xiǎo huánghuā,
上还带着小黄花，
tǔdòu méiyǒu jīngguò qīngxǐ, cóng
土豆没有经过清洗，从

dìli páo chūlai hòu, zhíjiē yùn guòlai, dōuhěnxīnxiān.
地里刨 (to dig) 出来后，直接运过来，都很新鲜。
Càishìchǎng li shūcài de jiàgé dōu bǐ chāoshì piányi ,
菜市场里蔬菜的价格都比超市便宜 20-30%，
yǒude shènzhì gèng duō. Dàn zhèngshì yóuyú hěnduō shūcài dàizhe
有的甚至更多。但正是由于很多蔬菜带着
nítǔ hé lùshui, ràng rén gǎnjué bú shì hěn gānjìng. Dàole
泥土和露水，让人感觉不是很干净。到了
xiàwǔ, yǒuxiē shūcài de yèzi diào xiàlai le, yǒuxiē kāishǐ
下午，有些蔬菜的叶子掉下来了，有些开始
fāhuáng. Zhè shíhou, xiǎofàn chángcháng huì shuǎimài, yǒuxiē rén
发黄。这时候，小贩常常会甩卖，有些人
zhuānmén zài zhège shíhou lái mǎi cài.
专门在这个时候来买菜。

Zài yìxiē kàojìn jiāoqū de dàxíng zìyóu shìchǎng li, chúle
在一些靠近郊区的大型自由市场里，除了
mài shūcài yǐwài, hái chūshòu ròulèi, huó yú, xiā, pángxiè
卖蔬菜以外，还出售肉类、活鱼、虾、螃蟹
, tāmen kěyǐ xiànchǎng wèi gùkè jiāgōng.
(crab)，他们可以现场为顾客加工。

Chúle gùdìng de càishìchǎng yǐwài, háiyǒu zǎochen de
除了固定的菜市场以外，还有早晨的
càishìchǎng, huòzhě jiào zǎoshì. Zǎoshì yìbān dōu shì zài
菜市场，或者叫早市。早市一般都是在
jūmínqū fùjìn de jiēdào liǎngpáng. Tiān gāng liàng de shíhou,
居民区附近的街道两旁。天刚亮的时候，
càinóng hé xiǎofàn men jiù lái le, jūmín yě qǐ de hěn
菜农和小贩们 (vendor) 就来了，居民也起得很

zǎo， chènzhe shàngbān qián， mǎihǎo dāngtiān de cài. Yìbān
早，趁着上班前，买好当天的菜。一般
dàole bā-jiǔ diǎnzhōng yǐhòu， guǎnlǐ bùmén jiù bú ràng mài le.
到了八九点钟以后，管理部门就不让卖了。

Zài yìxiē jiātíng li， tuìxiū de lǎorén gēn zǐnǚ yìqǐ
在一些家庭里，退休的老人跟子女一起
shēnghuó， lǎorén bāngzhù zǐnǚ dài háizi， fùzé mǎi cài zuòfàn.
生活，老人帮助子女带孩子，负责买菜做饭。
Lǎorén dōu bǐjiào jiéjiǎn， tāmen bú yuànyì qù chāoshì mǎi guì de
老人都比较节俭，他们不愿意去超市买贵的
shūcài， suǒyǐ jiù jīngcháng dào xiǎoqū huòzhě fùjìn de càishìchǎng
蔬菜，所以就经常到小区或者附近的菜市场
mǎi. Měi tiān zǎochen dōu huì kàndào yìxiē lǎorén， lāzhe xiǎochē
买。每天早晨都会看到一些老人，拉着小车
huò qízhe zìxíngchē mǎi hěn duō shūcài huílai.
或骑着自行车买很多蔬菜回来。

Niánqīngrén bù yíyàng， hěn duō niánqīngrén shíjiān jǐnzhāng，
年轻人不一样，很多年轻人时间紧张，
yòu zhuīqiú shēnghuó zhìliàng. Tāmen bú yuànyì wèile jǐ máo qián，
又追求生活质量。他们不愿意为了几毛钱，
zài càishìchǎng li zhuànlái zhuànqù， yě lǎnde wèile jǐ máo qián，
在菜市场里转来转去，也懒得为了几毛钱，
tóng càinóng tǎojià-huánjià. Tāmen yìbān qù dàxíng
同菜农讨价还价 (to bargain)。他们一般去大型
chāoshì mǎi cài， xǐhuan chī shénme， jiù bùtíng de wǎng gòuwùchē
超市买菜，喜欢吃什么，就不停地往购物车
li zhuāng， zhìyú nǎ zhǒng cài duōshao qián， yě bú tài guānxīn.
里装，至于哪种菜多少钱，也不太关心。

Rúguǒ jīngjì tiáojiàn hǎo yìxiē, jiù huì mǎi yǒujī shūcài,
如果经济条件好一些，就会买有机 (organic) 蔬菜，
yǒujī shūcài de jiàgé wǎngwǎng shì pǔtōng shūcài de liǎng-sānbèi
有机蔬菜的价格往往是普通蔬菜的两三倍
shènzhì gèng duō.
甚至更多。

Zài Wáng dàmā jūzhù de shèqū fùjìn, yǒu càishìchǎng,
在王大妈居住的社区附近，有菜市场，
yě yǒu chāoshì. Chéngshì li de jūmín, mǎi dōngxi dōu hěn
也有超市。城市里的居民，买东西都很
fāngbiàn. Yīncǐ, rénmen búyòng kāichē dào hěn yuǎn de dìfang qù
方便。因此，人们不用开车到很远的地方去
mǎi cài. Yǒuxiē lǎorén měi tiān dōu mǎi cài, yīnwèi tāmen juéde
买菜。有些老人每天都买菜，因为他们觉得
shūcài xīnxiān hěn zhòngyào.
蔬菜新鲜很重要。

Tuìxiū hòu zài jiā li méi
退休后在家里没
shénme shì, mǎi cài zuòfàn
什么事，买菜做饭
yě shì yí gè lèqù. Mǎi cài
也是一个乐趣。买菜
de shíhou hái néng gēn xiǎofàn
的时候还能跟小贩
liáoliaotiān, liáo de duō le,
聊聊天，聊得多了，
yǒude jiù chéngwéi péngyou
有的就成为朋友

le . Jiànmiàn de shíhou , hùxiāng dǎ zhāohu : “ Dàmā , jīntiān
了。见面的时候，互相打招呼：“大妈，今天

qǐde zǎo a . ” “ Zǎo , xiànzài de cài yuèláiyuè guì le . ” “ Nǎr
起得早啊。”“早，现在的菜越来越贵了。”“哪儿

a , nín kàn jīntiān tǔdòu bǐ zuótiān hái piányi ne . ” Zhèyàng de
啊，您看今天土豆比昨天还便宜呢。”这样的

duìhuà jīhū měi tiān kěyǐ tīngdào . Yǒu shíhou dàmā jǐ tiān méi
对话几乎每天可以听到。有时候大妈几天没

qù mǎi , mài cài de hái huì wènwen yuányīn . “ Zhè jǐ tiān zěnme méi
去买，卖菜的还会问问原因。“这几天怎么没

jiàn nín mǎi cài a ? ” “ Zhè jǐ tiān gǎnmào le , zuótiān hái fāshāo
见您买菜啊？”“这几天感冒了，昨天还发烧

ne . ” “ Nà děi duō zhùyì , tiān lěng , nín duō chuān diǎnr . ”
呢。”“那得多注意，天冷，您多穿点儿。”

Zhèxiē huà tīng qǐlai bú xiàng shì zài mài cài hé mǎi cài , dǎo xiàng shì
这些话听起来不像是在卖菜和买菜，倒像是

yì jiā rén hùxiāng guānxīn . Zài càishìchǎng li yě jīngcháng pèngdào
一家人互相关心。在菜市场里也经常碰到

línjū , bǐcǐ dǎ gè zhāohu , yǒushíhou yíkuàir chūlai ,
邻居，彼此打个招呼，有时候一块儿出来，

yíkuàir huíqu , gǎnjué yě tǐng kuàilè .
一块儿回去，感觉也挺快乐。

Yìqǐ Qù Táo Piányihuò

一起去淘便宜货

Xiāo Wén yánjiūshēng gāng bìyè, gōngzī bú suàn gāo, yě
肖文研究生刚毕业，工资不算高，也

méi duōshao jīxù. Tā cóngxiǎo zài nóngcūn shēnghuó,
没多少积蓄(savings)。她从小在农村生活，

kǎoshàng dàxué hòu, liú zài le dàchéngshì gōngzuò. Yóuyú shòu
考上大学后，留在了大城市工作。由于受

fùmǔ de yǐngxiǎng, tā cóngxiǎo jiù hěn jiéyuē. Tā de xiāofèi
父母的影响，她从小就很节约。她的消费

guānniàn yǒudiǎnr xiàng tā de fùmǔ, rènwéi qián yào huā zài zuì
观念有点儿像她的父母，认为钱要花在最

xūyào de dìfang . Rìcháng shēnghuó zhōng , zhǐyào guòdeqù jiù
需要的地方。日常生活中，只要过得去就
kěyǐ le , búbì zhuīqiú míngpái , suǒyǐ Xiāo Wén bù zěnme qù
可以了，不必追求名牌，所以肖文不怎么去
dà shāngchǎng mǎi dōngxi , tā juéde nàli de dōngxi dōu tài guì
大商场买东西，她觉得那里的东西都太贵
le . Tā xiǎng , shāngchǎng nàme háohuá , měitiān de zūjīn děi
了。她想，商场那么豪华，每天的租金得
duōshaoqián ? Tongyàng de dōngxi dàole dà shāngchǎng li , jiàqián
多少钱？同样的东西到了大商场里，价钱
hái bùděi fān hǎojǐ bèi a . Tā jīngcháng gēn jǐ gè hàopéngyou
还不得翻好几倍啊。她经常跟几个好朋友
jiāoliú xìnxī , bǐrú nǎr de dōngxi zuì piányi , nǎr de dōngxi
交流信息，比如哪儿的东西最便宜，哪儿的东西
kāishǐ dǎzhé le , nǎr kāile gè zìyóu shìchǎng , děngděng .
开始打折了，哪儿开了个自由市场，等等。
Dàole zhōumò , tāmen jiù yìqǐ qù gòuwù , chángcháng néng mǎi
到了周末，她们就一起去购物，常常能买
dàobùshǎo piányi dōngxi ne .
到不少便宜东西呢。

Qíshí , búlùn zài nǎr , “ mǎi piányi de ” háishi dàjiā
其实，不论在哪儿，“买便宜的”还是大家
pǔbiàn de xīnlǐ , lǎobǎixìng dōu xīwàng néng mǎi dào yòu hǎo yòu
普遍的心理，老百姓都希望能买到又好又
piányi de dōngxi . Zài dàchéngshì li , chúle nàxiē háohuá de dà
便宜的东西。在大城市里，除了那些豪华的大
shāngchǎng , yě yǒu hěnduō gōng pǔtōng shìmín gòuwù de dìfang ,
商场，也有很多供普通市民购物的地方，

zhèxiē yìbān jiàozuò “ pīfā shìchǎng ” huòzhě
这些一般叫做“批发 (wholesale) 市场”或者

“ zìyóu shìchǎng ”， lǐmian de dōngxi piányi bùshǎo .
“自由市场”，里面的东西便宜不少。

XiāoWén jīngcháng qù de pīfā shìchǎng， lí tā de gōngzuò
肖文经常去的批发市场，离她的工作

dānwèi bú tài yuǎn . Yǒushí zhōngwǔ xiūxi de liǎng gè xiǎoshí
单位不太远。有时中午休息的两个小时

li， tā jiù huì qù zhuàn yi zhuàn . Zhège pīfā shìchǎng hěn dà，
里，她就会去转一转。这个批发市场很大，

shénme dōu yǒu . Yǒu xuésheng yòng de bǐ， zhǐ， běn děng，
什么都有。有学生用的笔、纸、本等，

yǒu chuángdān， bèizi， chuānglián děng， yǒu yùndòng yòng de
有床单、被子、窗帘等，有运动用的

wǎngqiú， lánqiú， zúqiú děng， yǒu fúzhuāng， xiémào， diànqì
网球、篮球、足球等，有服装、鞋帽、电器

děng . Zhèli de dōngxi běnlái jiù bú guì， hái kěyǐ gēn lǎobǎn kǎn
等。这里的东西本来就不贵，还可以跟老板砍

jià . Suǒyǐ yí jiàn dōngxi mǎi xiàlai， chángcháng bǐ shāngchǎng li
价。所以一件东西买下来，常常比商场里

piányi hěn duō . Xiāo Wén de hěn duō dōngxi dōushì zài zhèli mǎi de .
便宜很多。肖文的很多东西都是在这里买的。

Jīntiān tā yòu kànshàngle yí jiàn yǔróngfú， zhè jiàn yǔróngfú tā zài
今天她又看上了一件羽绒服，这件羽绒服她在

dà shāngchǎng kànguo le， jiàqián dōu zài yìqiān duō yuán， ér zài
大商场看过了，价钱都在一千多元，而在

zhèli lǎobǎn yàojià cái wǔbǎi yuán . Xiāo Wén jīngcháng lái zhèli，
这里老板要价才五百元。肖文经常来这里，

dāngrán zhīdào zhège jiàqián hái yǒu shāngliang， yúshì tā jiù gēn
当然知道这个价钱还有商量，于是她就跟
lǎobǎn tǎojià-huánjià le yìfān， jiéguǒ kuài jiù mǎi xiàlai le.
老板讨价还价了一番，结果350块就买下来了。

Dàole zhōumò， lái zhèli mǎidōngxi de rén hěn duō， zhōuwéi
到了周末，来这里买东西的人很多，周围
jīngcháng méiyǒu tíng chē de dìfang. Zài chūkǒuchù kěyǐ kàndào，
经常没有停车的地方。在出口处可以看到，
měi gè rén dōu názhe dà bāoxiǎobāo chūlai. Zhè lèi pīfā shāngchéng
每个人都拿着大包小包出来。这类批发商城
huòzhě zìyóu shìchǎng， yìbān dōu lí shìzhōngxīn shāo yuǎn yìxiē.
或者自由市场，一般都离市中心稍远一些。
Yǒuxiē jíshǐ zài shìzhōngxīn， yě dōu zài dàlóu de dìxià， búguò
有些即使在市中心，也都在大楼的地下，不过
guīmó dōu hěn dà， yǒu de shāngchéng li yǒu jǐ bǎi gè shènzhì shàng
规模都很大，有的商城里有几百个甚至上

qiān gè tānwèi , yì tiān dōuguàng bu wán .
千个摊位 (stall)，一天都逛不完。

Xiāo Wén de yí gè tóngshì zhuāngxiū fángzi ,
肖文的一个同事装修 (to decorate) 房子，

qù yìxiē dàxíng de jiàncái shìchǎng kàn le kàn , jiàqián guì de
去一些大型的建材市场看了看，价钱贵得

jīngrén . Yóuyú mǎi fángzi huāle bùshǎo qián , tóngshì jiù xiǎng
惊人。由于买房子花了不少钱，同事就想

zhuāngxiū de shāowēi jiǎndān yìxiē . Yúshì , tā jiù dàole yí
装修得稍微简单一些。于是，他就到了一

gè jiàncái pīfā shāngchéng , guǒrán lǐmian de dōngxi piányi hěn
个建材批发商城，果然里面的东西便宜很

duō , bǐrú mù dìbǎn , zài hěnduō dà shāngdiàn yào jǐbǎi kuàiqián
多，比如木地板，在很多大商店要几百块钱

yì píngmǐ , ér zhèli yě jiù bú dào yìbǎi kuài . Tā de tóngshì
一平米，而这里也就不到一百块。她的同事

dānxīn zhìliàng yǒu wèntí , jiù bùtíng de xúnwèn , fǎnfù de kǎochá ,
担心质量有问题，就不停地询问，反复地考察，

hòulái zhǎodào le xiāngtóng páizi de mù dìbǎn , zhè cái fàngxīn
后来找到了相同牌子的木地板，这才放心

le . Tā zhuāngxiū de cáiliào jiù dōu zài zhège shāngchéng li mǎi le .
了。他装修的材料就都在这个商城里买了。

Rújīn yǐjīng kuài shí nián le , jiā li de zhuāngxiū bǎochí de hěn hǎo ,
如今已经快十年了，家里的装修保持得很好，

tā xiāngxìn nàgè shāngchéng shì gè wùměi-jiàlián de dìfang .
他相信那个商城是个物美价廉的地方。

Dāngrán , zài zhèzhǒng dà zìyóu shìchǎng lǐmian , rúguǒ
当然，在这种大自由市场里面，如果

guǎnlǐ bù hǎo, jiù huì yǒu yìxiē zhìliàng bù hǎo de dōngxi jìnlai,
管理不好，就会有一些质量不好的东西进来，

zuìhòu ràng xiāofèizhě chīkuī. Dàn guǎnlǐ bùmén
最后让消费者吃亏(suffer losses)。但管理部门

duì jìnrù shāngchéng de chǎngjiā yǒu yángé de guīdìng, háiyào
对进入商城的厂家有严格的规定，还要

dìngqī jiǎnchá, duì nàxiē wéifǎn guīdìng de shāngjiā yě yǒu xiāngyìng
定期检查，对那些违反规定的商家也有相应

de chǔfá cuòshī, suǒyǐ rénmen zài zhèli gòuwù yě jiù bǐjiào
的处罚措施，所以人们在这里购物也就比较

fàngxīn le.
放心了。

Zhōngguó zhème dà, rénkǒu zhème duō, rénmen de xūqiú
中国这么大，人口这么多，人们的需求

chàbié yě hěn dà. Bùguǎn zài nǎli, zhǐyào zhǎodào nǐ xiǎng
差别也很大。不管在哪里，只要找到你想

yào de dōngxi, zhǐyào nǐ juéde wùyǒu-suǒzhí, jiùshì zuìhǎo de
要的东西，只要你觉得物有所值，就是最好的

le.
事情了。

Dàochù Kěyǐ Mǎi Dōngxi
到处可以买东西

Zhāng nǚshì wǎnshang xiàbān huíjiā shí， jīnnián shàngchū èr
张 女士晚 上下班回家时，今年 上 初二
de háizi yǐjīng fàngxué le． Háizi yí jiàndào māma， jiù shuō：
的孩子已经放学了。孩子一见到妈妈，就 说：
“Mā， wǒ è le．” Zhāng nǚshì shuō：“Bié zháojí， xiànzài
“妈，我饿了。” 张 女 士 说：“别着急，现在
jiù zuòfàn， yíhuìr jiù hǎo．” Tā gǎnjǐn xǐ cài zuòfàn． Zhèng
就做饭，一会儿就好。”她赶紧洗菜做饭。 正
chǎocài de shíhou， fāxiàn cù yòngwán le， yúshì， tā gǎnjǐn jiào
炒菜的时候，发现醋 用 完 了，于是，她赶紧叫
háizi：“Xiǎomíng， dào lóuxià mǎi píng cù huílai．” Wǔ fēnzhōng
孩子：“小 明 ，到楼下买瓶醋回来。” 五分 钟
hòu， Xiǎomíng huílai le， cài yě jiù zuòhǎo le．
后，小 明 回来了，菜也就做好了。

Zhāng nǚshì jiā lóuxià jiù yǒu yì jiā xiǎo chāoshì， chāoshì
张 女士家楼下就有一家小超市，超 市
suīrán bú dà， dànshì shēnghuó yòngpǐn dōu hěn qíquán． Suǒyǐ mǎi
虽然不大，但是 生 活 用品 都很齐全。所以买
yìbān de shēnghuó yòngpǐn， tā jīhū búyòng qù dà chāoshì， yě
一般的 生 活 用品，她几乎不用去大超 市，也
yòng bu zháo dào qítā de càishìchǎng． Jíshǐ shì ǒu'ěr wàngle mǎi
用 不着 到其他的菜 市 场。即使是偶尔忘了买

cài， xiàlóu mǎi yí tàng， shí lái fēnzhōng yě jiù huílai le．
菜，下楼买一趟，十来分钟也就回来了。

Zài Zhōngguó， bùguǎn shì dà-zhōng chéngshì háishi xiǎo
在中国，不管是大中城市还是小
chéngshì， shāngyè dōu hěn fādá． Mǎlù liǎngbiān de lóu， yī céng
城市，商业都很发达。马路两边的楼，一层
jīhū dōushì shāngdiàn， jiàozuò “dǐshāng”， yìsi shì wèiyú
几乎都是商店，叫做“底商”，意思是位于
lóu xiàmian， yònglái zuò shēngyi de shāngdiàn． Yǒu hěn duō dàlóu
楼下面，用来做生意的商店。有很多大楼
zài shèjì de shíhou， jiù liúchūle dǐshāng de wèizhì， yě yǒu hěn
在设计的时候，就留出了底商的位置，也有很
duō lóufáng de yī céng hòulái gǎizào chéngle dǐ shāng． Dǐ shāng de
多楼房的一层后来改造成了底商。底商的
mǎimai zhǒnglèi fēicháng duō， yǒu de mài yǐnliào， shípǐn， yǒu
买卖种类非常多，有的卖饮料、食品，有
de mài fúzhuāng， yǒu de cóngshì fángdìchǎn shēngyi， yǒu de shì
的卖服装，有的从事房地产生意，有的是
yínháng， yǒu de shì Kěndéjī， Màidāngláo děngděng． Yóuyú
银行，有的是肯德基、麦当劳等等。由于
Zhōngguó rénkǒu hěn duō， suǒyǐ měi gè dǐshāng de shēngyi dōu
中国人口很多，所以每个底商的生意都
búcuò． Zhèxiē shāngdiàn gěi rénmen de shēnghuó dàiláile jí dà de
不错。这些商店给人们的生活带来了极大的
biànlì， rénmen búyòng kāizhe qìchē pǎodào hěn yuǎn de dìfang qù
便利，人们不用开着汽车跑到很远的地方去
zhǎo dà shāngchǎng， zhǐyào zài fùjìn zhuàn yi zhuàn， shēnghuó
找大商场，只要在附近转一转，生活

wèntí jiù dōu jiějué le .
问题就都解决了。

Guò jǐ tiān, Wáng xiānsheng yào qù cānjiā biéren de hūnlǐ,
过几天，王先生要去参加别人的婚礼，

tā xiǎng mǎi yí tào hǎo diǎnr de xīfú. Yóuyú tā hěn máng,
他想买一套好点儿的西服。由于他很忙，

méiyǒu shíjiān dào dà shāngchǎng guàng, jiù xiǎng zài fùjìn mǎi yí
没有时间到大商场逛，就想在附近买一

tào. Qīzi shuō, búyòng zǒu tài yuǎn, mǎlù
套。妻子说，不用走太远，马路

duìmiàn yǒu hěn duō fúzhuāng zhuānmàidiàn,
对面有很多服装专卖店，

dào lǐmian tiāo yi tiāo, yídìng yǒu héshì
到里面挑一挑，一定有合适

de. Yúshì, liǎng gè rén guòle
的。于是，两个人过了

mǎlù, dàole zhè yì jiā
马路，到了这一家

míngpái xīfú zhuānmàidiàn.
名牌西服专卖店。

Shòuhuòyuán hěn rèqíng,
售货员很热情，

bùtíng de ràng Wáng
不停地让王

xiānsheng shì zhè
先生试这

jiàn, shì nà jiàn,
件，试那件，

zuìhòu tāmen zhōngyú xuǎn dào le héshì de yīfu . Bùjǐn mǎi
最后他们终于选到了合适的衣服。不仅买

yīfu , lián Wáng xiānsheng jiā li láile kèrén , yě dōushì dào
衣服，连王先生家里来了客人，也都是到

lóuxià de fànguǎn chīfàn . Lóuxià hǎo yìdiǎnr de fànguǎn yǒu qī-bā
楼下的饭馆吃饭。楼下好一点儿的饭馆有七八

jiā , Wáng xiānsheng dōu qùguo le . Tā gēn měi gè fànguǎn de
家，王先生都去过了。他跟每个饭馆的

fúwùyuán dōu hěn shú , měi cì qù fúwùyuán tèbié rèqíng , yǒu
服务员都很熟，每次去服务员特别热情，有

shíhou hái zhǔdòng dǎzhé . Yóuyú hěn duō dǐshāng kāi zài jūmínqū
时候还主动打折。由于很多底商开在居民区

fùjìn , xiāofèizhě zhǔyào shì fùjìn de jūmín , suǒyǐ tāmen tèbié
附近，消费者主要是附近的居民，所以他们特别

zhòngshì fúwù de zhìliàng . Zhāng nǚshì jiā lóuxià de chāoshì , jiù
重视服务的质量。张女士家楼下的超市，就

kěyǐ tígōng miǎnfèi sònghuò shàngmén de fúwù . Yǒu shíhou dǎ
可以提供免费送货上门的服务。有时候打

gè diànhuà tāmen jiù kěyǐ bǎ dōngxi sòngdào jiā li lái . Xiàtiān de
个电话他们就可以把东西送到家里来。夏天的

shíhou , tā hé xiānsheng xǐhuan hē píjiǔ , tāmen měi cì dōu mǎi
时候，她和先生喜欢喝啤酒，他们每次都买

yì zhěng xiāng píjiǔ , yígòng píng . píng píjiǔ bān qǐlai
一整箱啤酒，一共24瓶。24瓶啤酒搬起来

tǐng chén de , dàn chāoshì sònghuò shàngmén . Nǎpà shì fàncài
挺沉的，但超市送货上门。哪怕是饭菜

yǐjīng zuòhǎo le , cái fāxiàn píjiǔ hēwán le , tā dōu kěyǐ zhíjiē
已经做好了，才发现啤酒喝完了，她都可以直接

dǎ yí gè diànhuà， jǐ fēnzhōnghòuchāoshì de gōngzuòrényuán jiù bǎ
打一个电话，几分钟后超市的工作人员就把

píjiǔ sònglai le， érqiě hái bǎ hēwán de píjiǔ píngzi shōu huíqu.
啤酒送来了，而且还把喝完的啤酒瓶子收回去。

Qítā rú mǎi mǐ， miàn， shuǐguǒ děngděng， dōu kěyǐ bāng nǐ
其他如买米、面、水果等等，都可以帮你

sòngdào jiā ménkǒu.
送到家门口。

Zhāng nǚshì shuō， zhù zài zhège xiǎoqū， lián qìchē dōu
张女士说，住在这个小区，连汽车都

yòngbuzháo le. Yǐqián kāichē zhǔyào shì gòuwù， xiànzài jiā li
用不着了。以前开车主要是购物，现在家里

búyòng chǔbèi tài duō dōngxi， zhèxiē shāngdiàn dàdà
不用储备(to store)太多东西，这些商店大大

fāngbiànle gòuwù. Yóuqí dàole dōngtiān， wàimiàn fēicháng lěng，
方便了购物。尤其到了冬天，外面非常冷，

tā bú tài yuànyì chūmén. Tā xiānsheng zhōumò de shíhou， xǐhuan
她不太愿意出门。她先生周末的时候，喜欢

zàijiā kànshū, ér Zhāng nǚshì zé xǐhuan zuòzuo jiāwù, fāngbiàn
在家看书，而张女士则喜欢做做家务，方便

de gòuwù huánjìng yě jiéshěngle tāmen hěn duō shíjiān.
的购物环境也节省了他们很多时间。

Dāngrán, yě yǒu yìxiē xīnjiàn de xiǎoqū gòuwù huánjìng hái
当然，也有一些新建的小区购物环境还

bù hǎo, dànshì suízhe jūmín shùliàng de zēngjiā, gòuwù kěndìng
不好，但是随着居民数量的增加，购物肯定

huì yuèláiyuè fāngbiàn. Suǒyǐ rénmen zài mǎi fángzi de shíhou,
会越来越方便。所以人们在买房子的时候，

yìbān yě dōu kǎolǜ gòuwù de yīnsù. Xīn xiǎoqū yǒu méiyǒu gòuwù
一般也都考虑购物的因素。新小区有没有购物

zhōngxīn, yǒu méiyǒu zúgòu de dǐshāng, yǒu méiyǒu chāoshì,
中心，有没有足够的底商，有没有超市、

yīyuàn děngděng, zhè dōushì mǎifángrén yào kǎolǜ de yīnsù. Ér
医院等等，这都是买房人要考虑的因素。而

fángdìchǎn kāifāshāng yě bǎ zhèxiē zuòwéi fángzi de màidiǎn zhī yī,
房地产开发商也把这些作为房子的卖点之一，

bǎ zhèxiē zuòwéi dìngjià de cānkǎo yīnsù zhī yī. Zǒngzhī, yóuyú
把这些作为定价的参考因素之一。总之，由于

Zhōngguó rénkǒu duō, shāngyè xūqiúliàng dà, suǒyǐ, shāngdiàn,
中国人口多，商业需求量大，所以，商店、

fànguǎn děng yě jiù hěn duō, shāngjiā kěndìng bú huì cuòguò rènhé yí
饭馆等也就很多，商家肯定不会错过任何一

gè zhuànqián de jīhuì, zhè qíshí yě shì wèi xiāofèizhě tígōngle
个赚钱的机会，这其实也是为消费者提供了

shēnghuó shang de fāngbiàn.
生活上的方便。

Xiànjīn Háishi Shuā Kǎ ?

现金还是刷卡？

Qiánbāo li bú zài dài qián, ér dài zhī yǐ gè zhǒng kǎ,
钱包里不再带钱，而代之以各种卡，
yǐjīng chéngle Zhāng nǚshì de xíguàn. Tā shuō: "Yǐqián chūmén
已经成了张女士的习惯。她说："以前出门
zǒng yào mōmo qiánbāo, kàn lǐmian háiyǒu duōshao qián, wànyī
总要摸摸钱包，看里面还有多少钱，万一
pèngdào zìjǐ xǐhuan de dōngxi pà qián bú gòu, huòzhě wànyī wàngle
碰到自己喜欢的东西怕钱不够，或者万一忘了
dài qián, lián zuò gōngjiāochē dōu hěn gāngà."
带钱，连坐公交车都很尴尬(embarrassed)。"

Xiànzài hǎo le， chūmén kěyǐ búyòng dài yì fēn qián， zhǐyào
现在好了，出门可以不用带一分钱，只要
qiánbāo li yǒu jǐ zhāng kǎ， jiù shénme dōu jiějué le． Zuògōngjiāo
钱包里有几张卡，就什么都解决了。坐公交
chē yǒu gōngjiāokǎ， qù shāngchǎng mǎi dōngxi， yǒu gèzhǒng-gèyàng
车有公交卡，去商场买东西，有各种各样
de yínhángkǎ， háiyǒu yìxiē shāngchǎng zhuānmén de gòuwùkǎ．
的银行卡，还有一些商场专门的购物卡。

Gēn Zhāng nǚshì yíyàng， yǐqián hěn duō rén dōu yǒu dài xiànjīn
跟张女士一样，以前很多人都有带现金
de xíguàn． Yīnwèi guòqù méiyǒu xiānjìn de diànzǐ xìtǒng， hěn duō
的习惯。因为过去没有先进的电子系统，很多
shāngdiàn dōu méiyǒu shuā kǎ xìtǒng． Háiyǒu yí gè yuányīn， jiùshì
商店都没有刷卡系统。还有一个原因，就是
guòqù wùzhì bú nàme fēngfù， shǎoliàng xiànjīn jiù néng mǎnzú
过去物质不那么丰富，少量现金就能满足
rìcháng shēnghuó de xūyào． Gǎigé kāifàng duōnián lái， yíqiè
日常生活的需要。改革开放30多年来，一切
dōu gǎibiàn le． Hěn xiǎo de shāngdiàn li， dōu kěyǐ shuā kǎ
都改变了。很小的商店里，都可以刷卡
xiāofèi， xiǎoxiǎo de xìnyòngkǎ yǐjīng chéngle rénmen shēnghuó zhōng
消费，小小的信用卡已经成了人们生活中
líbukāi de dōngxi．
离不开的东西。

Xiǎo Wáng shì gè niánqīng báilǐng， tā de bāo li zhuāng zhe
小王是个年轻白领，她的包里装着
duō zhāng xìnyòngkǎ， jīhū gègè yínháng de
20多张信用卡(credit card)，几乎各个银行的

xìnyòngkǎ dōu yǒu, hái yǒude shì zài yì jiā yínháng bàn de bùtóng
信用卡都有，还有的是在一家银行办的不同
de kǎ. Wèn qǐ zhèxiē kǎ de yòngtú, tā shuō, měi zhāng
的卡。问起这些卡的用途，她说，每张
xìnyòngkǎ dōu yǒu bùtóng yòngtú, tā kěyǐ ànzhào nǎ zhāng
信用卡都有不同用途，她可以按照哪张
xìnyòngkǎ zài nǎge shāngdiàn xiāofèi néng dǎzhé qù gòuwù, zhèyàng
信用卡在哪个商店消费能打折去购物，这样
kěyǐ shěngxià bù shǎo qián ne.
可以省下不少钱呢。

Shuā kǎ xiāofèi, yǐjīng chéngle xiāofèi zhǔliú. Shènzhì
刷卡消费，已经成了消费主流。甚至
zài yìxiē xiǎo xiànchéng, dōu yǒu jī, kěyǐ yǔ quánguó
在一些小县城，都有POS机，可以与全国
gè dì liánwǎng, zhǐyào shuā
各地联网，只要刷
yínhángkǎ, jiù kěyǐ xiāofèi.
银行卡，就可以消费。
Hěn duō rén dàizhe zìjǐ de
很多人带着自己的
yínhángkǎ qù wàiguó xiāofèi,
银行卡去外国消费，
érqiě gèngwéi fāngbiàn de shì,
而且更为方便的是，
rúguǒ kǎ li méiyǒu Měiyuán yě
如果卡里没有美元也
méi guānxi, yuèláiyuèduō de
没关系，越来越多的

dìfang kěyǐ shuā Rénmínbì, ér huánkuǎn de shíhou, yínháng
地方可以刷人民币，而还款的时候，银行
huì zìdòng ànzhào huìlǜ, yǐ Měiyuán de xíngshì
会自动按照汇率(exchange rate)，以美元的形式
jiésuàn.
结算。

Duìyú shāngchǎng yòng yínhángkǎ xiāofèi de qíngkuàng, yì
对于商场用银行卡消费的情况，一
jiā xiǎoxíng shāngchǎng de shùjù bǐjiào xiángxì, měi yuè píngjūn
家小型商场的数据比较详细，每月平均
yínhángkǎ xiāofèi de jīn'é zhàn xiāoshòu zǒng'é de,
银行卡消费的金额占销售总额的83.5%，
yuèpíngjūn yínhángkǎ xiāofèi rénshù zhànle zǒng xiāofèi rénshù de
月平均银行卡消费人数占了总消费人数的
. Yǔ pǔtōng shāngchǎng xiāngbǐ, dà shāngchǎng yòng
90.1%。与普通商场相比，大商场用

yínhángkǎ xiāofèi zhànle míngxiǎn de yōushì . Jù tǒngjì , Guǎngzhōu
银行卡消费占了明显的优势。据统计，广州

de dàxíng shāngchǎng zài yī yuèfèn de xiāngguān shùjù shì ,
的大型商场在一月份的相关数据是96%，

shuā kǎ jīn'é zhànle xiāofèi zǒng'é de jiǔ chéng yǐshàng .
刷卡金额占了消费总额的九成以上。

Shìmín xiāofèi fāngshì de biànhuà , biǎomíng rénmen de
市民消费方式的变化，表明人们的

guānniàn zài mànmān de jìnbù . Guòqù shìmín dōu yòng xiànjīn lái
观念在慢慢地进步。过去市民都用现金来

jiāoyì , xiànzài yòng yínhángkǎ lái jiāoyì , shì duì xiàndài kējì
交易，现在用银行卡来交易，是对现代科技

yìngyòng de biǎoxiàn , shì jìnbù de biǎoxiàn .
应用的表现，是进步的表现。

" Yòng yínhángkǎ xiāofèi yǒu hěn duō yōushì . Shǒuxiān néng gěi
"用银行卡消费有很多优势。首先能给

shìmín zēngqiáng ānquángǎn , shìmín ná jǐ wàn kuài qián qù xiāofèi ,
市民增强安全感，市民拿几万块钱去消费，

huì dānxīn diūshī , ér yínhángkǎ méiyǒu zhège wèntí . Lìngwài ,
会担心丢失，而银行卡没有这个问题。另外，

xiànjīn sǔnhuài hòu méifǎ zài shǐyòng , ér yínhángkǎ yě kěyǐ bìmiǎn
现金损坏后没法再使用，而银行卡也可以避免

zhège wèntí . Dì-èr , kěyǐ bìmiǎn hěn duō wèntí , bǐrú
这个问题。第二，可以避免很多问题，比如

jīngyíng fànzuì . Zài guówài , jīběnshang dōu yòng yínhángkǎ
经营犯罪。在国外，基本上都用银行卡

xiāofèi , diànzǐ wǎngluò píngtái shì hěn tòumíng de ,
消费，电子网络平台是很透明(transparent)的，

chūxiàn wèntí, cházhǎo qǐlai bǐjiào fāngbiàn." Zhōngguó de
出现问题，查找起来比较方便。”中国的

yínhángkǎ xiāofèi de bǐzhòng jīnhòu hái huì jìnyíbù tíshēng, jīběn
银行卡消费的比重今后还会进一步提升，基本

dádào gēnguówài yíyàng de bǐlì.
达到跟国外一样的比例。

Chúle xìnyòngkǎ, yǒuxiē shāngchǎng hái zhuānmén tuīchūle
除了信用卡，有些商场还专门推出了

gòuwùkǎ. Gùkè kěyǐ yòng yínhángkǎ huòzhě xiànjīn bàn yì zhāng
购物卡。顾客可以用银行卡或者现金办一张

zhège shāngchǎng de gòuwùkǎ. Zài xiāofèi de shíhou, zhǐyào shuā
这个商场的购物卡。在消费的时候，只要刷

gòuwùkǎ jiù kěyǐ le. Gòuwùkǎ de miànzhí yǒu hěn duō zhǒng,
购物卡就可以了。购物卡的面值有很多种，

yǒu yī-liǎngbǎi yuán de, yě yǒu jǐ qiān yuán de. Gòuwùkǎ yìbān
有一两百元的，也有几千元的。购物卡一般

dōushì bú jìmíng de, rúguǒ
都是不记名的，如果

diūshī le, jiù hěn máfan. Ér
丢失了，就很麻烦。而

yínhángkǎ zé bù cúnzài zhège
银行卡则不存在这个

wèntí, yínhángkǎ zài shuā
问题，银行卡在刷

kǎ xiāofèi de shíhou, yìbān
卡消费的时候，一般

yào shūrù mìmǎ,
要输入 (to input) 密码，

fúwùyuán hái huì chákàn qiānmíng , quèrèn shì běnrén
服务员还会查看签名(signature)，确认是本人
xiāofèi . Shuā kǎ hòu , shǒujī huì lìjí shōudào xiāofèi shù'é
消费。刷卡后，手机会立即收到消费数额
de tōngzhī , gàosu gùkè zài shénme dìfang xiāofèile duōshao
的通知，告诉顾客在什么地方消费了多少
qián , ràng gùkè suíshí zhīdào zìjǐ de xiāofèi qíngkuàng . Yùdào
钱，让顾客随时知道自己的消费情况。遇到
huāfèi bǐjiào duō de shíhou , yínháng hái huì qīnzì dǎ lái diànhuà ,
花费比较多的时候，银行还会亲自打来电话，
xúnwèn nín shìfǒu zài mǒu gè dìfang xiāofèile duōshao qián , fángzhǐ
询问您是否在某个地方消费了多少钱，防止
yínhángkǎ bèi biéren dàoyòng . Zhèxiē fúwù , shì
银行卡被别人盗用(to embezzle)。这些服务，是
xiànjīn xiāofèi suǒ méiyǒu de . Suǒyǐ , shuā kǎ xiāofèi yǐjīng
现金消费所没有的。所以，刷卡消费已经
chéngle xiāofèi de zhǔyào xíngshì , rúguǒ shì dà'é xiāofèi , rénmen
成了消费的主要形式，如果是大额消费，人们
yídìng shǐyòng kǎ , bìmiǎn shǐyòng xiànjīn . Zhǐyǒu yì xiǎo bùfen
一定使用卡，避免使用现金。只有一小部分
lǎoniánrén , yóuyú chángqī shēnghuó xíguàn yǐjí jìyì fāngmiàn
老年人，由于长期生活习惯以及记忆方面
de yuányīn , hái zài shǐyòng xiànjīn , dàbùfen rén yǐjīng gǎibiànle
的原因，还在使用现金，大部分人已经改变了
xiànjīn xiāofèi de xíguàn .
现金消费的习惯。

Shàngwǎng Qù Táo Huò

上网去淘货

Zài wǎngshang mǎi dōngxi， yǐjīng chéngle Zhōngguórén de
在网上买东西，已经成了中国人的

yì zhǒng zhòngyào de xiāofèi fāngshì. Qián jǐ nián， hái zhǐshì
一种重要的消费方式。前几年，还只是

yìxiē niánqīngrén xǐhuan zài wǎngshang gòuwù； zhè xiē nián， hěn
一些年轻人喜欢在网上购物；这些年，很

duō zhōng-lǎoniánrén yě jiārù dàole zhège duìwu zhōng. Wǎngluò
多中老年人也加入到了这个队伍中。网络

gòuwù bú zài shì shénme xīnxian de gòuwù fāngshì， ér biànchéng
购物不再是什么新鲜的购物方式，而变成

le yì zhǒng jí pǔtōng de xiāofèi fāngshì， jiù xiàng qù shāngdiàn mǎi
了一种极普通的消费方式，就像去商店买

dōngxi yíyàng. Rénmen zhǐyào zuò zài diànnǎo qián， huòzhě yòng
东西一样。人们只要坐在电脑前，或者用

zìjǐ de shǒujī， jiù kěyǐ qīngsōng de zhǎodào zìjǐ xǐhuan de
自己的手机，就可以轻松地找到自己喜欢的

shāngpǐn， érqiě jiàgé bǐ shāngchǎng piányi hěn duō. Wǎngluò
商品，而且价格比商场便宜很多。网络

gòuwù zuòwéi diànzǐ shāngwù de zhòngyào zǔchéng bùfen， píngjiè
购物作为电子商务的重要组成部分，凭借

fāngbiàn， kuàijié， liánjià de yōushì， zhèng
方便、快捷(fast)、廉价(low-priced)的优势，正

zhújiàn shēnrù rénmen de shēnghuó, chéngwéi yì zhǒng xīnxīng
逐渐深入人们的生活，成为一种新兴

shāngyè móshì
商业模式(model)。

Wú āyí jiā jīngcháng yǒu kuàidì gōngsī de rén lái sòng bāoguǒ
吴阿姨家经常有快递公司的人来送包裹

. Kāishǐ línjū hěn hàoqí, hòulái cái zhīdào, yuánlái
(package)。开始邻居很好奇，后来才知道，原来

Wú āyí de érzi xǐhuan wǎnggòu, yīfu, xiézi, shǒujī
吴阿姨的儿子喜欢网购，衣服、鞋子、手机

děng dōushì zài wǎngshang mǎi de. Wú āyí shuō: " Tā xiànzài
等都是在网上买的。吴阿姨说："他现在

chuān de, yòng de dōushì cóng diànnǎo li mǎi lái de, zìcóng
穿的、用的都是从电脑里买来的，自从

érzi xǐhuan zài diànnǎo li
儿子喜欢在电脑里

mǎi dōngxi, wǒ jiù zài yě
买东西，我就再也

méiyǒu bāng tā mǎiguo dōngxi
没有帮他买过东西

le, tā zìjǐ xǐhuan jiù
了，他自己喜欢就

hǎo, fǎnzhèng wǒ yě bù
好，反正我也不

dǒng." Wú āyí yǐqián
懂。"吴阿姨以前

bù zhīdào érzi zài diànnǎo
不知道儿子在电脑

li mǎi dōngxi jiào "wǎnggòu", shì niánqīngrén liúxíng de yì
里买东西叫"网购",是年轻人流行的一
zhǒng xīnxíng gòuwù fāngshì, tā zhǐ juéde hěn xīnqí, érzi zuò
种新型购物方式,她只觉得很新奇,儿子坐
zài jiā li jiù kěyǐ mǎi zìjǐ xǐhuan de dōngxi, bāng tā shěngle hěn
在家里就可以买自己喜欢的东西,帮她省了很
duō shì.
多事。

Xǐhuan wǎnggòu de niánqīngrén yìbān shì zàixiào de
喜欢网购的年轻人一般是在校的
gāozhōngshēng, dàxuéshēng, huòzhě shì yìxiē yǒu wěndìng
高中生、大学生,或者是一些有稳定
gōngzuò, bìngqiě duì wǎngluò zhīshi hěn liǎojiě de rén. Zhèngzài dú
工作、并且对网络知识很了解的人。正在读
gāo'èr de Xiǎolín shuō, tā tóngxué
高二的小琳说,她同学
de yīfu, xiézi, shènzhì
的衣服、鞋子,甚至
shǒujī dōushì cóng wǎngshang
手机都是从网上
gòumǎi de, suǒyǐ tā yě ràng
购买的,所以她也让
māma gěi tā bànle yì zhāng zhīfù
妈妈给她办了一张支付
kǎ
卡(payment card)。

Diànnǎo zhuānyè bìyè
电脑专业毕业

de Fāng xiānsheng hěn xǐhuan kànshū, jiā li jué dà bùfen de
的方先生很喜欢看书，家里绝大部分的

shūjí dōushì wǎnggòu lái de. Tā shuō: " Duìyú wǒmen xiàndài
书籍都是网购来的。他说：“对于我们现代

qīngnián láishuō, wǎngshang gòuwù dàibiǎole kuàijié, fāngbiàn,
青年来说，网上购物代表了快捷、方便，

tā shěngqùle dàochù luànpǎo de máfan, jì chōngfèn lìyòngle
它省去了到处乱跑的麻烦，既充分利用了

shíjiān, yòu néng mǎidào zìjǐ xǐhuan de dōngxi, suǒyǐ juéde tǐng
时间，又能买到自己喜欢的东西，所以觉得挺

hǎo de! "
好的！”

Niánqīngrén gè yǒu gè xǐhuan wǎng gòu, wǎng
年轻人10个有9个喜欢网购，网

gòu yǐ chéngwéi tāmen shēnghuó zhōng de yí bùfen. Bùjǐn
购已成为他们生活中的一部分。不仅

shì qīngniánrén, suízhe hùliánwǎng fēisù fāzhǎn, yìxiē
是青年人，随着互联网飞速发展，一些

zhōng-lǎoniánrén yě zhúbù jiārùle wǎnggòu de duìwu. Xú nǚshì
中老年人也逐步加入了网购的队伍。徐女士

jiùshì qízhōng yí gè. Tā zài xiànchéng mǒu zhōngxué gōngzuò,
就是其中一个。她在县城某中学工作，

jīhū tiāntiān huàn xīn yīfu, xiézi yě hěnduō, bāo yě shì měi tiān
几乎天天换新衣服，鞋子也很多，包也是每天

dōu huàn yí gè, ràng zhōuwéi de nǚ tóngshì xiànmù
都换一个，让周围的女同事羡慕(to envy)

bùyǐ. Tóngshìmen dōu wèn Xú nǚshì zài nǎ jiā diàn li mǎi de, tā
不已。同事们都问徐女士在哪家店里买的，她

xiào ér bù dá， zhǐshì dǎkāile jǐ gè wǎngdiàn. Wǎngdiàn shang
笑而不答，只是打开了几个网店。网店上
de shāngpǐn tài duō le， shénme yàngzi de dōu yǒu， jiàgé yě dī
的商品太多了，什么样子的都有，价格也低
de jīngrén. Xuǎnhǎo yàngshì， yánsè， dàxiǎo hòu， zhǐxū ànzhào
得惊人。选好样式、颜色、大小后，只需按照
tíshì diǎnjī shǔbiāo fùkuǎn jiù kéyǐ le. Jǐ tiānhòu， tóngshìmen
提示点击鼠标付款就可以了。几天后，同事们
jiù shōudàole yīfu， bāo děngděng. Tāmen gǎnkǎi: “Wǎngluò
就收到了衣服、包等等。她们感慨：“网络
gòuwù jūrán zhème fāngbiàn!”
购物居然这么方便！”

Jù Xú nǚshì de tóngshì Chén lǎoshī jièshào， tā yìzhí xiǎng
据徐女士的同事陈老师介绍，他一直想
mǎi yì tái xiàngjī， dào gègè
买一台相机，到各个
zhuānmàidiàn qù kàn， jiàgé
专卖店去看，价格
dōu hěn gāo. Tā zài Xú nǚshì
都很高。他在徐女士
de jièshào xià dēnglù
的介绍下登陆(log in)
le mǒu wǎngzhàn， mǎidàole
了某网站，买到了
zhè tái míngpái xiàngjī， bǐ zài
这台名牌相机，比在
zhuānmàidiàn li shěng le
专卖店里省了600

duōyuán， hòulái tā xiānhòu cóng wǎngshang wéi péngyou gòumǎile
多元，后来他先后从网上为朋友购买了7
tái xiàngjī.
台相机。

Háiyǒu hěn duō jiātíng， dà bùfen yòngpǐn dōushì
还有很多家庭，大部分用品都是
cóng wǎngshang mǎi lái de， xiǎo dào háizi de nǎipíng， dà dào
从网上买来的，小到孩子的奶瓶，大到
bīngxiāng， kōngtiáo， xǐyījī děngděng， shénme dōu yǒu.
冰箱、空调、洗衣机等等，什么都有。
Zhème shuō ba， zhǐyào shāngdiàn li yǒu de， wǎngluò shang dōu
这么说吧，只要商店里有的，网络上都
yǒu. Érqiě zài wǎngshang mǎi dōngxi， jiàgé piányi hěn duō，
有。而且在网上买东西，价格便宜很多，
tāmen hái bǎ dōngxi sòngdào jiā li.
他们还把东西送到家里。

Zài wǎngshang mǎi dōngxi， dàdà fāngbiànle rénmen de
在网上买东西，大大方便了人们的
shēnghuó， jiéyuēle rénmen de shíjiān. Dàn wǎngluò gòuwù yě
生活，节约了人们的时间。但网络购物也
dàilái hěn duō máfan， lìrú mǎi de yīfu chǐcùn bù héshì xūyào
带来很多麻烦，例如买的衣服尺寸不合适需要
gènghuàn， yǒu shíhou zhìliàng chūxiàn wèntí， bù róngyì jiějué
更换，有时候质量出现问题，不容易解决
děngděng. Dàn suízhe wǎngluò gòuwù de guīfànhuà， zhèxiē wèntí
等等。但随着网络购物的规范化，这些问题
huì dédào jìnyíbù jiějué.
会得到进一步解决。

Gùkè Shì Shàngdì

顾客是上帝

Wú xiānsheng shì Shāndōngrén， zhèxiē tiān tā dào Běijīng lái
吴先生是山东人，这些天他到北京来

lǚyóu， xiǎng shùnbiàn mǎi xiē jìniànpǐn
旅游，想顺便 (at one's convenience) 买些纪念品

huíqu. Yúshì tā zǒudào nǎli， dōuhuì liúxīn
(souvenir) 回去。于是他走到哪里，都会留心

jìniànpǐn shāngdiàn， yǒu shíhou yě huì gēn nàxiē tānzhǔ tántan
纪念品商店，有时候也会跟那些摊主谈谈

jiàqián.
价钱。

Wúlùn zǒudào nǎli， tā fāxiàn shòuhuòyuán dōu hěn rèqíng
无论走到哪里，他发现售货员都很热情

de tuīxiāo tāmen de chǎnpǐn. Yǒushíhou tāmen hái zhǔdòng jiàngjià，
地推销他们的产品。有时候他们还主动降价，

shuō zhè dōngxi běnlái kuàiqián， kàn nǐ shì zhēnxīn xiǎng mǎi
说这东西本来200块钱，看你是真心想买

de， jiù piányi diǎnr màigěi nǐ， zhǐyào gěi yuán jiù kěyǐ
的，就便宜点儿卖给你，只要给180元就可以

le. Yǒushíhou shòuhuòyuán tài rèqíng le， ràng tā juéde bù mǎi
了。有时候售货员太热情了，让他觉得不买

dōu bù hǎoyìsi.
都不好意思。

“ Gùkè shì shàngdì ” de fúwù lǐniàn yǐjīng bèi
“顾客是上帝”的服务理念 (concept) 已经被
hěn duō shāngjiā jiēshòu . Yíqiè wèile gùkè zhuóxiǎng , gùkè
很多商家接受。一切为了顾客着想，顾客
xūyào shénme , tāmen jiù xiǎng bànfǎ mǎnzú gùkè . Rúguǒ nǐ
需要什么，他们就想办法满足顾客。如果你
zǒujìn shāngchǎng , huì fāxiàn hěn duō rèxīn de fúwùyuán , tāmen
走进商场，会发现很多热心的服务员，他们
búduàn de wèn nǐ xūyào shénme , xīwàng nǐ shìshi tāmen de
不断地问你需要什么，希望你试试他们的
chǎnpǐn . Bù mǎi yě méi guānxi , yě kěyǐ liǎojiě yíxià , ràng
产品。不买也没关系，也可以了解一下，让
gùkè gǎnjué rèqíng de yǒuxiē guòfèn . Wú
顾客感觉热情得有些过分 (excessive, over-)。吴
xiānsheng juéde , hǎode fúwù yīnggāi kǎolǜ dào xiāofèizhě de
先生觉得，好的服务应该考虑到消费者的

gǎnshòu, búyào ràng xiāofèizhě gǎndào gāngà. Yǒu shíhou tā
感受，不要让消费者感到尴尬。有时候他

guàngshāngchǎng de mùdì, bìng bú shì xiǎng xiāofèi, zhǐshì xiǎng
逛商场的目的，并不是想消费，只是想

kànkan xiànzài yǒu shénme xīn chǎnpǐn, shénme xīn yàngshì.
看看现在有什么新产品，什么新样式。

Shòuhuò yuán yīnggāi zhēnxīn de wèi gùkè kǎolǜ, ér bú shì
售货员应该真心地为顾客考虑，而不是

yǎnjing zhǐ dīng zhe gùkè de qiánbāo.
眼睛只盯 (stare at) 着顾客的钱包。

Yǒu yí cì, Wú xiānsheng hái zhēn tǐhuì dàole "dāng
有一次，吴先生还真体会到了“当

shàngdì" de gǎnjué. Tā dào yí gè dàxíng chāoshì mǎi dōngxi,
上帝”的感觉。他到一个大型超市买东西，

dāngshí tā méiyǒu tuī gòuwù chē, juéde bú huì mǎi tài duō dōngxi,
当时他没有推购物车，觉得不会买太多东西，

jiù nále yí gè lánzi, jiéguǒ yuè mǎi yuè duō, kàndào
就拿了一个篮子 (basket)，结果越买越多，看到

shénme dōu xiǎng wǎng lánzi li zhuāng, lánzi jiù biàn chén
什么都想往篮子里装，篮子就变沉

le. Zài tā jiézhàng de shíhou, lánzi méiyǒu zhuā láo, tūrán
了。在他结账的时候，篮子没有抓牢，突然

diàodàole dìshang, jiéguǒ lǐmian de jīdàn quán dōu shuāi làn le.
掉到了地上，结果里面的鸡蛋全都摔烂了。

Tā xīn xiǎng, zhè xià huài le, shìbushì xūyào péi rénjia jīdàn
他心想，这下坏了，是不是需要赔人家鸡蛋

de qián a? Zhèngzài zhè shíhou, fúwùyuán gǎnjǐn pǎo guòlai,
的钱啊？正在这时候，服务员赶紧跑过来，

wèn tā zěnme le , dāng dézhī zhè yì qíngkuàng shí , fúwùyuán
问他怎么了，当得知这一情况时，服务员
ānwèi tā : “ Nín bié zháojí , wǒ bāng nín zài qù qǔ yì hé jīdàn ,
安慰他：“您别着急，我帮您再去取一盒鸡蛋，
zhǐyào méi jiézhàng , suǒyǒu de sǔnshī dōushì wǒmen de , bú shì
只要没结账，所有的损失都是我们的，不是
nín de . ” Zhè ràng Wú xiānsheng tǐng gǎndòng de , liánshēng shuō
您的。”这让吴先生挺感动的，连声说
“ duìbuqǐ ” . Cóngcǐ , Wú xiānsheng duì zhè jiā chāoshì tèbié yǒu
“对不起”。从此，吴先生对这家超市特别有
hǎogǎn .
好感。

Dànshì yě yǒu de shíhou , gùkè tǐhuì bú dào “ dāng
但是也有的时候，顾客体会不到“当
shàngdì ” de gǎnjué , hěn duō rén juéde méiyǒu dédào yīngyǒu de
上帝”的感觉，很多人觉得没有得到应有的
dàiyù hé zūnzhòng . Zhāng xiānsheng zài yì jiā diànqì
待遇 (treatment) 和尊重。张先生在一家电器
shāngchǎng mǎile gè shǒujī , méi guò jǐ tiān , shǒujī jiù chūxiànle
商场买了个手机，没过几天，手机就出现了
wèntí , kāijī de shíhou dǎbùkāi . Yóuyú hái zài bǎoxiūqī fànwéi
问题，开机的时候打不开。由于还在保修期范围
nèi , tā jiù zhǎodàole shāngjiā . Shāngjiā kāishǐ shuō , tā kěnéng
内，他就找到了商家。商家开始说，他可能
shì bù xiǎoxīn shuāi le , hòulái yòu shuō , kěnéng shì lǐmian jìnshuǐ
是不小心摔了，后来又说，可能是里面进水
le . Zhāng xiānsheng jiěshìle bàntiān , shuō zìjǐ de shǒujī méi
了。张先生解释了半天，说自己的手机没

shuāi yě méi jìnshuǐ, shāngjiā jiù ràng tā dào yí gè hěn yuǎn de dìfang
摔也没进水，商家就让他到一个很远的地方

qù wéixiū, wéixiū rényuán tàidù yě bù hǎo, shuō bú shì jīqì
去维修，维修人员态度也不好，说不是机器

běnshēn de wèntí, yīnggāi shì tā shǐyòng de wèntí, suǒyǐ xiūlǐ
本身的问题，应该是他使用的问题，所以修理

de fèiyòng yào ràng tā zìjǐ lái chū. Zài Zhōngguó, rúguǒ xīn mǎi
的费用要让他自己来出。在中国，如果新买

de chǎnpǐn zài yídìng shíqī nèi chūxiàn wèntí, shāngjiā hé chǎngjiā
的产品在一定时期内出现问题，商家和厂家

yào fùzé "bāoxiū, bāohuàn, bāotuì". Hěn duō shāngjiā hé
要负责“包修、包换、包退”。很多商家和

chǎngjiā dōu duì zhège guīdìng zhíxíng de hěn hǎo. Yīnwèi zhè jì shì
厂家都对这个规定执行得很好。因为这既是

duì gùkè fùzé, yě shì duì tāmen zìjǐ de chǎnpǐn, xìnyù
对顾客负责，也是对他们自己的产品、信誉

fùzé, rúguǒ zuò de hǎo, kěyǐ yíngdé gèng duō de
负责，如果做得好，可以赢得 (to gain) 更多的

xiāofèizhě .
消费者。

Hái yǒu yìxiē gòuwù guòchéng zhōng de bù yúkuài , kěnéng
还有一些购物过程中的不愉快，可能

shì yóuyú wénhuà chàyì huòzhě wùjiě zàochéng de . Yí gè Rìběn
是由于文化差异或者误解造成的。一个日本

liúxuéshēng lái Zhōngguó hòu , hěn bù xíguàn shòuhuòyuán zài zhǎo
留学生来中国后，很不习惯售货员在找

língqián shí bǎ qián fàng dào guìtái shang , ér bú shì zhíjiē jiāo dào
零钱时把钱放到柜台上，而不是直接交到

gùkè shǒu zhōng . Tā kàndào shòuhuòyuán bǎ língqián suíyì wǎng
顾客手中。他看到售货员把零钱随意往

guìtái shang yì rēng , yǐwéi shì shòuhuòyuán hěn shēngqì ne . Tā
柜台上一扔，以为是售货员很生气呢。他

xiǎng , wǒ méi zuòcuò shénme , tā wèi shénme duì wǒ shēngqì ?
想，我没做错什么，他为什么对我生气？

Wèi shénme bǎ qián rēng zài guìtái shang? Hòulái qù chāoshì duō
为什么把钱扔在柜台上？后来去超市多

le , tā kàndào shòuhuòyuán wúlùn duì shuí , dōushì yíyàng de
了，他看到售货员无论对谁，都是一样的

fāngshì , tā cái jiànjiàn lǐjiě zhèzhǒng xiànxiàng le , kěnéng lián
方式，他才渐渐理解这种现象了，可能连

shòuhuòyuán zìjǐ yě méi yìshi dào . Háiyǒu yì zhǒng qíngkuàng ,
售货员自己也没意识到。还有一种情况，

jiùshì zài kǎn jià de shíhou , rúguǒ gùkè kǎn de tài duō , mài
就是在砍价的时候，如果顾客砍得太多，卖

dōngxi de rén huì biǎoxiàn chū hěn shēngqì de yàngzi , shuō nǐ zěnme
东西的人会表现出很生气的样子，说你怎么

gěi zhème dī de jiàqián, bù xiǎng mǎi jiù suàn le, yǒu shíhou hái
给这么低的价钱，不想买就算了，有时候还
shuō "zǒu ba, zǒu ba" zhīlèi de huà. Qíshí, měi gè màijiā
说“走吧、走吧”之类的话。其实，每个卖家
dōu bù xīwàng gùkè zǒu, dōu xīwàng cóng gùkè shēn shang zhuàn
都不希望顾客走，都希望从顾客身上赚
dào qián. Kǎnjià yě yǒu yídìng de xuéwèn, gùkè bù néng bǎ
到钱。砍价也有一定的学问，顾客不能把
jiàqián shuō de tài dī, zǒng děi gěi màijiā liú chū lìrùn
价钱说得太低，总得给卖家留出一点儿利润
kōngjiān. Yàoburán, tā xīnxīnkǔkǔ hái péiqián, dāngrán bú
空间。要不然，他辛辛苦苦还赔钱，当然不
huì yuànyì. Suǒyǐ yǒu jīngyàn de rén, jì néng gēn màijiā gǎohǎo
会愿意。所以有经验的人，既能跟卖家搞好
guānxì, yòu néng mǎidào piányi dōngxi, zhè bú shì měi gè rén dōu
关系，又能买到便宜东西，这不是每个人都
néng xuéhuì de.
能学会的。

Zǒngzhī, gòuwù yīnggāi shì yúkuài de, xiǎngshòu de
总之，购物应该是愉快的、享受的
guòchéng, rúguǒ yīnwèi fúwù chūxiànle wèntí, xīnqíng jiù huì
过程，如果因为服务出现了问题，心情就会
hěn zāogāo.
很糟糕(too bad)。

Kǎnjià de Xuéwen
砍价的学问

Zhè tiān, wǒ hé Línjiě yìqǐ guàngjiē. Wǒ zài yí gè xiǎo
这天，我和林姐一起逛街。我在一个小

tān shang kànzhòng yì shuāng wàzi, shì jiāhòu de, zhège jìjié
摊上看中一双袜子，是加厚的，这个季节

chuān qúnzi zhènghǎo néng yòng shàng. Mài dōngxi de xiǎogūniang
穿裙子正好能用上。卖东西的小姑娘

shuō yuán yì shuāng, wǒ yì tīng bú guì, kànkan zhìliàng yě
说18元一双，我一听不贵，看看质量也

búcuò, juédìng mǎi yì shuāng. Wǒ zhèng zhǔnbèi tāo
不错，决定买一双。我正准备掏(take out)

qián, Línjiě zài yìbiān zǔzhǐle wǒ, ránhòu hé xiǎogūniang kǎn qǐ
钱，林姐在一边阻止了我，然后和小姑娘砍起

jià lái. Línjiě shì kǎnjià gāoshǒu, fēicháng yǒu nàixīn, zúzú hé
价来。林姐是砍价高手，非常有耐心，足足和

xiǎogūniang shuōle fēnzhōng, yìngshì bǎ wàzi kǎndàole yuán
小姑娘说了10分钟，硬是把袜子砍到了15元
yì shuāng.
一双。

, yě jiào jiǎngjià, huòzhě tǎojià-huánjià, Shì zhǐ mǎi
砍价，也叫讲价，或者讨价还价，是指买
dōngxi de shíhou, gēn mài dōngxi de rén tǎolùn jiàqián, huā bǐjiào
东西的时候，跟卖东西的人讨论价钱，花比较
shǎo de qián mǎi dào xiǎng yào de dōngxi. Zài Zhōngguó mǎi dōngxi,
少的钱买到想要的东西。在中国买东西，
hěnduō dìfang dōushì kěyǐ kǎnjià de. Xiǎodào mǎi wàzi, dà dào mǎi
很多地方都是可以砍价的。小到买袜子，大到买
fángzi, jīhū suǒyǒu de shāngpǐn dōu kěyǐ gēn màijiā jiǎngjià. Yǒu
房子，几乎所有的商品都可以跟卖家讲价。有
shíhou, kěyǐ yǐ dīyú yuánlái jiàgé hěn duō de jiàqián chéngjiāo.
时候，可以以低于原来价格很多的价钱成交。

Huáng xiǎojiě piàoliang dàfang, dànshì zài guàngjiē gòuwù de
黄小姐漂亮大方，但是在逛街购物的
shíhou, Huáng xiǎojiě néng kǎnjià kě shì chūle míng de. Yí cì
时候，黄小姐能砍价可是出了名的。一次
Huáng xiǎojiě hé hàopéngyou guàngjiē, péngyou kànzhòngle liǎng tiáo
黄小姐和好朋友逛街，朋友看中了两条
qúnzi. Lǎobǎn kāijià: "Zhè tiáo, lìngwài zhè tiáo!"
裙子。老板开价："这条110，另外这条100！"
Hǎoyǒu jiù kāishǐ kǎnjià: "Lǎobǎn, piányi xiē ba!" Lǎobǎn
好友就开始砍价："老板，便宜些吧！"老板
xiǎngle xiǎng shuō: "Zhèyàng ba, kàn nǐ shízài xǐhuan, zài piányi
想了想说："这样吧，看你实在喜欢，再便宜

yuán ba . ” Hǎoyǒu shuō : “ yuán , zhè suàn shénme piányi a ?
5 元吧。” 好友说：“5 元，这算什么便宜啊？
Zài dī diǎnr ! Zài dī diǎnr ! ” Zhè shíhou láile biéde gùkè ,
再低点儿！再低点儿！” 这时候来了别的顾客，
lǎobǎn yìngfuzhe biéde shēngyi , niǔ guò tóu lái shuō : “ Zhèyàng ba ,
老板应付着别的生意，扭过头来说：“这样吧，
nǐ gěi názǒu ! Wǒ péiběn le ! ”
你给 180 拿走！我赔本了！”

Xiǎnrán zhè liǎng tiáo qúnzi bìng bù zhí nàme duō qián , dànshì
显然这两条裙子并不值那么多钱，但是
lǎobǎn bù kěn ràngbù le . Hǎoyǒu de
老板不肯让步 (make a concession) 了。好友的
mùguāng zhuǎnxiàng Huáng xiǎojiě , xīwàng tā gǎnkuài bāng zìjǐ .
目光转向黄小姐，希望她赶快帮自己。
Huáng xiǎojiě yì kāikǒu jiù shādiào yíbàn : “ Lǎobǎn , kuài xiàbān
黄小姐一开口就杀掉一半：“老板，快下班
de shēngyi le , gěi gè zuì dījià ba ! kuài qián liǎng tiáo ,
的生意了，给个最低价吧！100 块钱两条，
tòngkuài diǎnr ! ”
痛快点儿！”

Lǎobǎn báile Huáng xiǎojiě yì yǎn : “ Gūniang , nǐ zài zhèr
老板白了黄小姐一眼：“姑娘，你在这儿
dǎoluàn a , bú ràng wǒ zhuànqián le ! ” Huáng
捣乱 (make trouble) 啊，不让我赚钱了！” 黄
xiǎojiě yě hěn gàncuì : “ Bú mài suàn le , zánmen zǒu ! ” Shuōzhe
小姐也很干脆：“不卖算了，咱们走！” 说着
wǎn qǐ péngyou de gēbo , zhuǎnshēn yào líkāi . Zhè
挽 (to hold) 起朋友的胳膊，转身要离开。这

zhāor guǒrán yǒuyòng, lǎobǎn zài bèihòu hǎndào: "Bié zǒu
招儿(trick)果然有用，老板在背后喊道："别走

bié zǒu, zài shāngliang shāngliang!" Huáng xiǎojiě zhīdào lǎobǎn
别走，再商量商量！"黄小姐知道老板

de yìsi, jiù huíqù shuō: "Wǒmen yǒuxīn yào, nǐ yě yǒuxīn
的意思，就回去说："我们有心要，你也有心

mài, zěnme jiù zhème bù néng shāngliáng ne? Nǐ kàn nǐ zhè diàn li
卖，怎么就这么不能商量呢？你看你这店里

de rén nǎ yǒu xiàng wǒmen zhème tòngkuài de? Nǐ yě kuài shōutān
的人哪有像我们这么痛快的？你也快收摊

le, zěnme jiù bù néng mài ne? Zàishuō le, wǒmen gāng cóng
了，怎么就不能卖呢？再说了，我们刚从

fúzhuāng pīfā shìchǎng lái de, nà de jiàgé kě bǐ nǐ zhèr piányi
服装批发市场来的，那的价格可比你这儿便宜

duō le." Lǎobǎn zhèngyào zhāngzuǐ jiěshì, nǎ zhīdào Huáng xiǎojiě
多了。"老板正要张嘴解释，哪知道黄小姐

méi gěi tā jīhuì , yígèjìnr de shuō xiàqu :
没给他机会，一个劲儿 (ceaselessly) 地说下去：
“ Lǎobǎn , wǒ zhēnxīn xiǎngmǎi nǐ de dōngxi , zhīdào nǐmen kāi diàn
“老板，我真心想买你的东西，知道你们开店
yě bù róngyì , zhuàn ge shí kuài èrshí kuài yě chàbuduō le . Kuài
也不容易，赚个十块二十块也差不多了。快
diǎn ba ! Bù zǎo le , kuàiqián liǎng tiáo , mài nǐ jiù shōuqián ,
点吧！不早了，100 块钱两条，卖你就收钱，
bù mài wǒmen jiù zǒu le . ” Huáng xiǎojiě yígèjìnr de cuīzhe
不卖我们就走了。” 黄小姐一个劲儿地催着
lǎobǎn .
老板。

Děng tā zhè yìliánchuàn huà shuō wán , lǎobǎn
等她这一连串 (in a row) 话说完，老板
zhīdào zhè shì gè yǒu jīngyàn de gùkè , yě bù shuō mài yě méi shuō
知道这是个有经验的顾客，也不说卖也没说
bú mài . Huáng xiǎojiě jiàn tā zhèyàng , bù gěi tā shíjiān zǎixì qù
不卖。黄小姐见他这样，不给他时间仔细去
xiǎng : “ Bú mài ? Zǒu ! Bù mǎi le ! ” Huáng xiǎojiě zhèngyào zài yí
想：“不卖？走！不买了！” 黄小姐正要再一
cì zhuǎnshēn zǒu , lǎobǎn wúnài de shuō : “ Suàn le , màigěi nǐ
次转身走，老板无奈地说：“算了，卖给你
le , yǐhòu mǎi dōngxi cháng lái . ”
了，以后买东西常来。”

Kǎnjià bú shì jiàn róngyì de shìqing , shǒuxiān yào liǎojiě dōngxi
砍价不是件容易的事情，首先要了解东西
dàgài zhí duōshao qián , yào kàn hěn duō tónglèi de shāngpǐn ,
大概值多少钱，要看很多同类的商品，

zhīdào biéren de jiàqián shì duōshao . Lìngwài , kǎn xià duōshao
知道别人的价钱是多少。另外，砍下多少

héshì , yě shì gè jìqiǎo . Rúguǒ yíxiàzi kǎn de tài duō , màijiā
合适，也是个技巧。如果一下子砍得太多，卖家

méiyǒu yìdiǎnr lìrùn , shènzhì kuīběn le , tā dāngrán
没有一点儿利润 (profit)，甚至亏本了，他当然

bú huì màigěi nǐ . Háiyǒu jiùshì , kǎn jià hěn huā shíjiān , yǒu
不会卖给你。还有就是，砍价很花时间，有

shíhou wèile jǐ kuài qián , shíjǐ kuài qián , yào huā fēnzhōng
时候为了几块钱、十几块钱，要花20分钟

shènzhì gèng cháng de shíjiān . Shuāngfāng dōu yào qiángdiào gèzì
甚至更长的时间。双方都要强调各自

de lǐyóu , màifāng huì shuō , tā duōme bú zhuànqián , zuòshēngyi
的理由，卖方会说，他多么不赚钱，做生意

duōme bù róngyì , mǎifāng zé yào shuō zìjǐ duōme qióng , huòzhě
多么不容易，买方则要说自己多么穷，或者

biéde dìfāng duōme piányi děngděng .
别的地方多么便宜等等。

Kǎnjià shì ràng shuāngfāng juéde bú tài shūfu de yí jiàn shì ,
砍价是让双方觉得不太舒服的一件事，

mǎi de rén yǒngyuǎn juéde qián huā duō le , mài de rén yǒngyuǎn
买的人永远觉得钱花多了，卖的人永远

juéde mǎi de rén bú tòngkuai . Dànshì kǎn jià yǐjīng chéngle yì zhǒng
觉得买的人不痛快。但是砍价已经成了一种

shíshàng , suǒyǐ bùrú huàn yì zhǒng xīnqíng , zài tǎojià-huánjià
时尚，所以不如换一种心情，在讨价还价

zhōng zhǎodào gòuwù de kuàilè .
中找到购物的快乐。

Liǎng Dài Rén de Xiaofèi Guānniàn

两代人的消费观念

Xīnxin shì gè duō suì de nǚháizi . Fùmǔ jiù tā zhè
欣欣是个20多岁的女孩子。父母就她这

yí gè háizi , suǒyǐ cóngxiǎo yào shénme gěi shénme . Zhǎngdà
一个孩子，所以从小要什么给什么。长大

hòu , Xīnxin gèngshì xǐhuan dǎban , yīfu mǎile yí jiàn yòu yí
后，欣欣更是喜欢打扮，衣服买了一件又一

jiàn . Dàxué bìyè hòu , tā zhǎodàole yí fèn búcuò de gōngzuò .
件。大学毕业后，她找到了一份不错的工作。

Kě zài māma yǎn li , tā què chéngle " bàijiānǚ
可在妈妈眼里，她却成了“败家女(a prodigal

" . Yòng māma de huà
daughter who squanders family fortune)”。用妈妈的话

shuō , tā měi gè yuè zhèng de bú suàn shǎo , kěxī , zuǒshǒu jìn
说，她每个月挣得不算少，可惜，左手进

yòushǒu chū , quán chuān shēn shang le , yǒu shíhou yí gè yuè
右手出，全穿身上了，有时候一个月

gōngzī hái bú gòu mǎi yīfu de . Tā zǒngshì ràng māma bù lǐjiě :
工资还不够买衣服的。她总是让妈妈不理解：

nàme duō yīfu zěnme chuān de guòlái ? Shǒujī méi huài wèi shénme
那么多衣服怎么穿得过来？手机没坏为什么

yào yí huàn zài huàn , shénme shíhou cái zhīdào jiéjiǎn ?
要一换再换，什么时候才知道节俭(thrift)？

Yúshì, māma zǒngshì búduàn de jiàoyù tā, yào cún diǎnr qián
于是，妈妈总是不断地教育她，要存点儿钱
a, yīfu búyào mǎi nàme duō ma, dōngxi gòuyòng jiù hǎo la!
啊，衣服不要买那么多嘛，东西够用就好啦！
Ér Xīnxin ne, zé wánquán bù tóngyì māma de kànfǎ, tā yě xiǎng
而欣欣呢，则完全不同意妈妈的看法，她也想
gǎibiàn māma "qián shì zǎn chūlai de" de guānniàn.
改变妈妈“钱是攒(to save)出来的”的观念。
Jiù zhèyàng, liǎng gè rén shuí dōu bù néng shuōfú shuí, shuí dōu bù
就这样，两个人谁都不能说服谁，谁都不
nénggǎibiàn shuí.
能改变谁。

Qíshí, zhè bú shì Xīnxin hé māma zhījiān de chōngtu,
其实，这不是欣欣和妈妈之间的冲突，
érshì liǎng dài rén xiāofèi guānniàn de chōngtu. Bù zhǐ shì Xīnxin,
而是两代人消费观念的冲突。不只是欣欣，

suǒyǒu de hòu, cóng yì kāishǐ jiù chǔyú búduàn de zhēnglùn
所有的80后，从一开始就处于不断的争论

zhōng, yǒu rén biǎoyáng tāmen, yǒu rén pīpíng tāmen. Biǎoyáng
中，有人表扬他们，有人批评他们。表扬

tāmen de rén rènwéi, tāmen guānniàn xīn, sīxiǎng xīn, gǎnxiǎng
他们的人认为，他们观念新，思想新，敢想

gǎngàn. Pīpíng tāmen de rén rènwéi, tāmen shì bèi jiāzhǎng chǒng
敢干。批评他们的人认为，他们是被家长宠

dà de yídài, tāmen méiyǒu dúlì shēnghuó de nénglì,
(dote on)大的一代，他们没有独立生活的能力，

érqiě shì xǐhuan wùzhì xiǎngshòu de yídài. Dàoxiànzài, zhèzhǒng
而且是喜欢物质享受的一代。到现在，这种

kànfǎ gèngshì cóng hòu mànyán dào hòu shēn
看法更是从80后蔓延(to spread)到90后身

shang. Zài zhǎngbèimen kànlái, zhèxiē niánqīngrén zǒngshì xǐhuan
上。在长辈们看来，这些年轻人总是喜欢

xiǎngshòu, chōngdòng xiāofèi, bù zhīdào "guò rìzi", zhǎngdà
享受，冲动消费，不知道“过日子”，长大

yǐhòu huì bǎ fùmǔ de qián dōu huāguāng.
以后会把父母的钱都花光。

Yǔ shàng yídài rén de dānxīn bùtóng, zài shāngjiāmen kànlái,
与上一代人的担心不同，在商家们看来，

hòu hé hòu què shì yí zuò jùdà de jīnkuàng, tāmen shēn
80后和90后却是一座巨大的金矿，他们身

shang yǒuzhe jùdà de shāngyè jiàzhí. Zhè yídài shì
上有着巨大的商业价值(value)。这一代是

shěde huāqián ér bú yuàn zǎnqián de xiāofèi qúntǐ, tāmen de xiāofèi
舍得花钱而不愿攒钱的消费群体，他们的消费

fāngshì yǐjīng yǔ shàng yídài wánquán bùtóng. Yúshì, jīngmíng
方式已经与上一代完全不同。于是，精明
de shāngjiā jiākuàile wājué zhè zuò jīnkuàng de sùdù, bù
的商家加快了挖掘 (to dig) 这座金矿的速度，不
shǎo shìjiè zhīmíng pǐnpái dōu láidào Zhōngguó, xiǎngfāng-shèfǎ
少世界知名品牌都来到中国，想方设法 (try
de miáozhǔn hòu hé hòu.
every means) 地瞄准 80 后和 90 后。

Shuí yě bù néng fǒudìng shàng yídài rén jiānkǔ-pǔsù
谁也不能否定上一代人艰苦朴素 (be plain
de jīngshén, jiù xiàng Xīnxin xīnshǎng
in one's style of living) 的精神，就像欣欣欣赏
māma de pǐndé hé tā chíjiā de nénglì yíyàng,
妈妈的品德和她持家 (run one's home) 的能力一样，
xǔduō hòu hé hòu de nèixīn dōu duì qiánbèi chōngmǎn jìngyì.
许多 80 后和 90 后的内心都对前辈充满敬意。
Dànshì, shídài zài fāzhǎn, shèhuì zài biànhuà, rénmen de jīngshén
但是，时代在发展，社会在变化，人们的精神
xūqiú hé wùzhì xūqiú yě zài búduàn zēngjiā, xīn yídài de xiāofèi
需求和物质需求也在不断增加，新一代的消费
guānniàn yě shì yì zhǒng jìnbù de biǎoxiàn.
观念也是一种进步的表现。

Yí wèi jīngjì xuézhě shuō guo, dōngfāngrén yào xuéhuì
一位经济学者说过，东方人要学会
huāqián, xīfāngrén yào xuéhuì cúnqián. Yīnwèi Zhōngguórén jīnglì
花钱，西方人要学会存钱。因为中国人经历
guo xǔduō jiānkǔ de rìzi, shàng yídài hé shàng yídài yǐshàng de
过许多艰苦的日子，上一代和上一代以上的

rén , yǎngchéngle jiéyī-suōshí , nǔlì cúnqián de
人，养成了节衣缩食(live frugally)、努力存钱的

xíguàn . Ér gōngyèwénmíng shǐ xīfāng shèhuì bǐ dōngfāng gèng zǎo
习惯。而工业文明使西方社会比东方更早

jìnrù dào wùzhì fēngfù de jiēduàn , tāmen yǎngchéngle zhòng xiāofèi ,
进入到物质丰富的阶段，他们养成了重消费、

qīng chǔxù de xíguàn . Bùguǎn shì huāqián háishi cúnqián , dōu yào
轻储蓄的习惯。不管是花钱还是存钱，都要

bǎwò yídìng de chǐdù , guòdù de xiāofèi hé guòdù de chǔxù , dōu
把握一定的尺度，过度的消费和过度的储蓄，都

duì shèhuì jīngjì fāzhǎn búlì .
对社会经济发展不利。

Shìshí shang , Zhōngguó de hòu hé hòu , zhèngzài
事实上，中国的80后和90后，正在

chéngwéi Zhōngguó kuòdà nèixū de tuīdònglì . Tāmen búduàn zhuīqiú
成为中国扩大内需的推动力。他们不断追求

chǎnpǐn de pǐnpái , gōngnéng
产品的品牌、功能

yǐjí shíshàngxìng , zhèngzài
以及时尚性，正在

tuīdòng bìng hái jiāng jìxù
推动并还将继续

tuīdòng Zhōngguó chǎnpǐn de
推动中国产品的

búduàn chuàngxīn hé fāzhǎn .
不断创新和发展。

Cóng zhè céng yìyì shang
从这层意义上

láishuō， tāmen de “ bàijiā ”， sìhū zhèngzài fāhuīzhe mǒu
来说，他们的“败家”，似乎正在发挥着某
zhǒng shēnkè de shèhuì yìyì .
种深刻的社会意义。

Xiāofèi yě shì yì zhǒng chuàngzào， qiántí shì， nǐ bú shì
消费也是一种创造，前提是，你不是
yí gè “ kěnlǎozú ”， nénggòu zìshíqílì
一个“啃老族 (boomerang child)”，能够自食其力
， nénggòu yòng shìhé zìjǐ jīngjì tiáojiàn
(earn one’s own living)，能够用适合自己经济条件
de fāngshì xiāofèi . Yǒule zhège qiántí， shìfǒu yīnggāi duì tāmen
的方式消费。有了这个前提，是否应该对他们
kuānróng yìxiē ?
宽容 (be tolerant) 一些？

shìjì niándài， Měiguórén céng gǎntàn tāmen de
20世纪50年代，美国人曾感叹他们的
shèhuì chūxiànle “ kuǎdiào de yí dài ”， méi xiǎngdào nián hòu，
社会出现了“垮掉的一代”，没想到10年后，
zhèngshì zhè qún rén náqǐ gōngwénbāo， tuīdòngle Měiguó jīngjì
正是这群人拿起公文包，推动了美国经济
de juéqǐ . Jīntiān， Zhōngguó de niánqīngrén yě zhèngzài
的崛起 (to rise)。今天，中国的年轻人也正在
chéngwéi zhèyàng de lìliang .
成为这样的力量。

Hěn duō niánqīngrén hūn hòu bú yuàn gēn lǎorén zhù zài yìqǐ，
很多年轻人婚后不愿跟老人住在一起，
hěn duō lǎorén yě bú yuànyì gēn niánqīngrén zhù zài yìqǐ . Qízhōng
很多老人也不愿意跟年轻人住在一起。其中

hěn dà de yuányīn yě shì xiāofèi guānniàn bùtóng， hěn róngyì fāshēng
很大的原因也是消费观念不同，很容易发生

chōngtū . Lǎorén kànzhe niánqīngrén huāqián háobù zàihū ,
冲突 (conflict)。老人看着年轻人花钱毫不在乎，

hěn xīnténg . Ér niánqīngrén kànzhe lǎorén shénme dōu shèbude
很心疼。而年轻人看着老人什么都舍不得

rēngdiào , shènzhì hái wǎng jiā li jiǎn huílai yìxiē lājī , gǎndào
扔掉，甚至还往家里捡回来一些垃圾，感到

nányǐ rěnshòu . Liǎng dài rén xūyào lǐjiě , xūyào hùxiāng bāoróng .
难以忍受。两代人需要理解，需要互相包容。

Shuāngfāng kěyǐ zuò yìxiē chángshì , rú gǎibiàn zìjǐ , yěxǔ huì
双方可以做一些尝试，如改变自己，也许会

fāxiàn , qíshí huāqián hé cúnqián dōu gè yǒu gè de lèqù .
发现，其实花钱和存钱都各有各的乐趣。

Rè “nao” Qù Gǎnjí

热“闹”去赶集

Sòng dàye zài nóngcūn shēnghuó jǐ shí nián le, shì gè
宋大爷在农村生活几十年了，是个
dìdao de nóngmín. Dàn cóng shí jǐ nián qián kāishǐ, tā
地道 (typical) 的农民。但从十几年前开始，他
chúle zhòngdì yǐwài, hái zuò diǎnr xiǎo mǎimai. Zài nóngcūn zuò
除了种地以外，还做点儿小买卖。在农村做
mǎimai, bú xiàng zài chéngshì li, zū yí gè diànpū, jiù
买卖，不像在城市里，租一个店铺 (store)，就
děngzhe gùkè shàngmén lái le, yào lāzhe zìjǐ de dōngxi, dào
等着顾客上门来了，要拉着自己的东西，到
bùtóng de jíshì shang qù mài.
不同的集市 (fair) 上去卖。

Zài nóngcūn, búlùn mǎi dōngxi háishi mài dōngxi, dàjiā dōu
在农村，不论买东西还是卖东西，大家都
xǐhuan dào jíshì shang qu. Jíshì yìbān zài mǒu yí gè cūnzi,
喜欢到集市上去。集市一般在某一个村子，
fùjìn cūnzi de rén dào mǒu yì tiān jiù dào zhèli mǎi dōngxi huò mài
附近村子的人到某一天就到这里买东西或卖
dōngxi, jiàozuò “gǎnjí”. Cóng shàngwǔ bā-jiǔ diǎnzhōng
东西，叫做“赶集”。从上午八九点钟
kāishǐ, yìzhí chíxù dào zhōngwǔ yì diǎn zuǒyòu, ránhòu dàjiā
开始，一直持续到中午一点左右，然后大家

jiànjiàn sàn qù , huíjiā chīfàn . Dāngrán yě yǒu yuǎn yìdiǎnr de ,
渐渐散去，回家吃饭。当然也有远一点儿的，
jiù zài jíshì shang mǎi xiē dōngxi chī . Jíshì yìbān měi wǔ tiān yǒu yí
就在集市上买些东西吃。集市一般每五天有一
cì , hěn duō zuò shēngyi de rén yào qù bùtóng de jíshì , zhèyàng
次，很多做生意的人要去不同的集市，这样
tāmen jiù kěyǐ tiāntiān mài dōngxi . Sòng dàye kāizhe yí liàng
他们就可以天天卖东西。宋大爷开着一辆
sānlúnchē , nóngxián de shíhou , tā jiù dào gègè xiāngzhèn gǎnjí
三轮车，农闲的时候，他就到各个乡镇赶集
mài dōngxi .
卖东西。

Nóngcūn de jíshì yìbān fēnbù zài cūnzi de zhǔyào jiēdào
农村的集市一般分布在村子的主要街道
shang , gè zhǒng bùtóng de huòwù dōu zài gùdìng de dìduàn bǎitān
上，各种不同的货物都在固定的地段摆摊
, bǐrú dōngmiàn shì mài cài de , nàme suǒyǒu
(set up a stall)，比如东面是卖菜的，那么所有

mài cài de dōu zài zhège dìfang . Jíshì shang mài shénme de dōu
卖菜的都在这个地方。集市上卖什么的都
yǒu , zhǐyào shì nóngcūn shēnghuó zhōng yòng de dào de dōngxi ,
有，只要是农村生活中用得到的东西，
dōu kěyǐ zài zhèli mǎidào . Sòng dàye mài gèzhǒng-gèyàng de
都可以在这里买到。宋大爷卖各种各样的
xié , yùndòngxié , píxié , bùxié , tuōxié děngděng . Xiànzài
鞋，运动鞋、皮鞋、布鞋、拖鞋等等。现在
yǒu jíshì de cūnzi li , dàjiē liǎngbiān hái gàiqǐle bù shǎo
有集市的村子里，大街两边还盖起了不少
shāngdiàn , zhèxiē shāngdiàn píngshí yě kāimén , dàole gǎnjí nà
商店，这些商店平时也开门，到了赶集那
tiān , jiù jīngcháng bǎ dōngxi bǎi chūlai , fāngbiàn dàjiā gòumǎi .
天，就经常把东西摆出来，方便大家购买。

Héběi Wèibó Zhèn de jíshì yìzhí fēicháng yǒumíng , jùshuō
河北位伯镇的集市一直非常有名，据说
yǒu hǎo jǐ bǎi nián de lìshǐ le . Zhōuwéi de rén dōu lái zhèli
有好几百年的历史了。周围的人都来这里
gǎnjí . Dàole jíshì nà tiān , dàjiē shang fēicháng rènao .
赶集。到了集市那天，大街上非常热闹。
Yóuqí dàole kuài guònián de shíhou , zhè tiáo liǎng-sān gōnglǐ cháng
尤其到了快过年的时候，这条两三公里长
de dàjiē shang , dàochùshì rén , yǒu shíhou dōu zǒubudòng .
的大街上，到处是人，有时候都走不动。

Nóngmín Lǎo Lǐ jiùshì zhège zhèn de rén , tā jīnnián suì
农民老李就是这个镇的人，他今年58岁
le , tā jiànzhèng le zhège dàjí de fāzhǎn . Jù tā
了，他见证 (to witness) 了这个大集的发展。据他

shuō, xiànzài de jíshì bǐ guòqù yào
说，现在的集市比过去要

dà liǎng-sānbèi, yǐqián mài de dōngxi
大两三倍，以前卖的东西

zhǒnglèi yě shǎo, jiē shang jiù nàme
种类也少，街上就那么

yī-liǎng jiā shāngdiàn. Ér xiànzài cóng
一两家商店。而现在从

dōng dào xī, jiē shang de shāngdiàn
东到西，街上的商店

yǐjīng yǒu shàng bǎi jiā le. Suǒ zuò
已经有上百家了。所做

de shēngyi gēn chéng li yě chàbuduō
的生意跟城里也差不多

le, jiē shang yǒu wǎngbā,
了，街上有网吧、

diànqìdiàn, fúzhuāng shāngdiàn,
电器店、服装商店、

fùshípǐn shāngdiàn děngděng; jiē
副食品商店等等；街

shang kāile dàdà xiǎoxiǎo de chāoshì
上开了大大小小的超市

shí duō jiā. Jíshì shang mài de hěn
十多家。集市上卖的很

duō dōngxi dōu shì guòqù méiyǒu de,
多东西都是过去没有的，

bǐrú xiǎodiànqì tānwèi shang, yǒu gè
比如小电器摊位上，有各

zhǒng yīnxiǎng, děngděng. Lǎo Lǐ měi féng gǎnjírì dōu yào
种音响、MP4等等。老李每逢赶集日都要

dào jíshì shang qù zhuànzhuan, yǒushíhou mǎi xiē rìcháng yòngpǐn,
到集市上去转转，有时候买些日常用品，

yǒu shíhou jiùshì guàngguang, kànkan yǒu shénme dōngxi.
有时候就是逛逛，看看有什么东西。

Qùnián Lǎo Lǐ de érzi jiéhūn, xūyào gòumǎi hěn duō
去年老李的儿子结婚，需要购买很多

diànqì. Suīrán jíshì shang shénme dōu yǒu, dànshì érzi jiānchí
电器。虽然集市上什么都有，但是儿子坚持

dào xiànchéng qù mǎi. Xiànchéng lí Wèibó Zhèn yě bù yuǎn, dàgài
到县城去买。县城离位伯镇也不远，大概

duō gōnglǐ. Xiànchéng li de shāngchǎng jiù dà duō le, lǐmian
20多公里。县城里的商场就大多了，里面

de shāngpǐn zhǒnglèi qíquán, kěyǐ zǐxì de tiāoxuǎn. Xiànchéng
的商品种类齐全，可以仔细地挑选。县城

li de shāngdiàn fúwù yě búcuò , kěyǐ sònghuò dàojiā . Suǒyǐ
里的商店服务也不错，可以送货到家。所以
LǎoLǐ de érzi juédìng zài nàli mǎi dōngxi . Bīngxiāng , diànshì ,
老李的儿子决定在那里买东西。冰箱、电视、
kōngtiáo , diànnǎo , jiājù děngděng , dōu shì zài xiànchéng mǎi
空调、电脑、家具等等，都是在县城买
huílai de .
回来的。

Nóngcūn de jíshì shang , chúle màoyì zhīwài , háiyǒu
农村的集市上，除了贸易之外，还有
xiūlǐ jiādiàn , nóngjù de . Yìbān nóngcūnrén jiā li diànqì huòzhě
修理家电、农具的。一般农村人家里电器或者
nóngjù huài le , kěyǐ dào jíshì shang xiūlǐ . Jíshì shang háiyǒu
农具坏了，可以到集市上修理。集市上还有
mài gè zhǒng shípǐn de , yǒude shì xiànchǎng zhìzuò de . Rúguǒ
卖各种食品的，有的是现场制作的。如果
láibují huíjiā , huòzhě zuǐchán
来不及回家，或者嘴馋 (craving for certain food; want
le , jiù kěyǐ mǎishàng yì-liǎng gè shāobing
to eat something) 了，就可以买上一两个烧饼
, xiànbǐng chī . Guòqù rénmen gǎnjí
(sesame seed cake)、馅饼 (pie) 吃。过去人们赶集
jīběn dōu shì bùxíng huòzhě qí zìxíngchē . Xiànzài bùtóng le , hěn
基本都是步行或者骑自行车。现在不同了，很
duōrén qí diàndòng zìxíngchē , mótuōchē , yě yǒu kāizhe nóngyòng
多人骑电动自行车、摩托车，也有开着农用
sānlúnchē , qìchē lái gǎnjí de .
三轮车、汽车来赶集的。

Jíshì, shì nóngcūn zhòngyào de màoyì chǎngsuǒ. Yóuyú
集市，是农村重要的贸易场所。由于
nóngcūn de jīngjì zǒngtǐ shang hái bú nàme fādá, suǒyǐ jíshì
农村的经济总体上还不那么发达，所以集市
shang de dōngxi zhìliàng dōu bù yíyàng. Yǒu hěn duō jiùshì nóngmín
上的东西质量都不一样。有很多就是农民
zìjǐ shēngchǎn huòzhě zhìzuò de, bǐrú sàozhou,
自己生产或者制作的，比如扫帚(broom)、
bòji zhīlèi de yòngjù, Xiāngduì láishuō, jíshì shang
簸箕(dustpan)之类的用具，相对来说，集市上
de dōngxi hěn piányi, zhè yě shì yóu nóngmín de xiāofèi shuǐpíng
的东西很便宜，这也是由农民的消费水平
juédìng de.
决定的。

Àishàng Tuángòu

爱上团购

Tuángòu , jiùshì tuántǐ gòuwù , zhǐ
团购(group purchase)，就是团体购物，指
rènshi huò bú rènshi de xiāofèizhě liánhé qǐlai , yǔ shāngjiā jìnxíng
认识或不认识的消费者联合起来，与商家进行
tánpàn , yòng zuì dī de jiàgé mǎidào dōngxi huòzhě
谈判(to negotiate)，用最低的价格买到东西或者
xiāofèi de yì zhǒng fāngshì . Yīnwèi gùkè duō , shāngjiā yí cì mài
消费的一种方式。因为顾客多，商家一次卖
de dōngxi yě jiù duō , suǒyǐ tāmen yuànyì tígōng jiào dī de jiàgé .
的东西也就多，所以他们愿意提供较低的价格。
Tuángòu yǐjīng chéngle yì zhǒng xīnxīng de gòuwù móshì , tōngguò
团购已经成了一种新兴的购物模式，通过
xiāofèizhě zìjǐ zǔtuán , zhuānyè tuángòu wǎngzhàn , shāngjiā zǔzhī
消费者自己组团、专业团购网站、商家组织
děng xíngshì , tígāo yònghù yǔ shāngjiā tánpàn jiàgé de nénglì ,
等形式，提高用户与商家谈判价格的能力，
bìng jí dà chéngdù de huòdé shāngpǐn rànglì , yǐnqǐ xiāofèizhě jí
并极大程度地获得商品让利，引起消费者及
chǎngshāng de xìngqù . Mùqián tuángòu de zhǔyào fāngshì shì wǎngluò
厂商的兴趣。目前，团购的主要方式是网络
tuángòu .
团购。

suì de Yáng Yáng jīngyíng zhe yì jiā xiāoshòu fúzhuāng de
34岁的杨洋经营着一家销售服装的

wǎngdiàn， wǎngdiàn de shōurù búcuò， měi gè yuè yǒu jìn sān wàn
网店，网店的收入不错，每个月有近三万

yuán de shōurù. Tā hé tàitai dōu bù xǐhuan zuòfàn， jiā li de
元的收入。他和太太都不喜欢做饭，家里的

chúfáng hěn shǎo kāihuǒ . Wǎngluò tuángòu bāng Yáng Yáng
厨房很少开伙(to cook)。网络团购帮杨洋

jiějuéle zhège wèntí. Tā cháng zài tuán gòu wǎngzhàn tiāoxuǎn
解决了这个问题。他常在团购网站挑选

jiàgé jiào dī， fàncài búcuò， huánjìng shūshì de cāntīng， hé
价格较低、饭菜不错、环境舒适的餐厅，和

jiārén yìqǐ xiǎngshòu měishí， wèicǐ měi yuè yào huā sān qiān yuán
家人一起享受美食，为此每月要花三千元

zuǒyòu. Tā juéde duì zìjǐ de sān kǒu zhī jiā láishuō, zhè bǐ
左右。他觉得对自己的三口之家来说，这笔
kāixiāo "fēicháng huásuàn", érqiě tā
开销"非常划算(good value for money)"，而且他
yě hěn xiǎngshòu měi tiān sōusuǒ wǎngzhàn "tuán cān" dàilái de
也很享受每天搜索网站"团餐"带来的
kuàilè. "Tuángòu ràng wǒ jì shěngqián, yòu chī de hǎo, wǒ xǐhuan
快乐。"团购让我既省钱，又吃得好，我喜欢
zhèyàng de shēnghuó." Yáng Yáng shuō.
这样的生活。"杨洋说。

Tuán gòu wǎngzhàn yǐjīng xiǎnshìchū qǔdài chuántǒng de
团购网站已经显示出取代传统的
xiāoshòu móshì de qūshì. Mùqián, tuángòu de jīběn
销售模式的趋势(tendency)。目前，团购的基本
jiāoyì móshì shì mǎijiā zàixiàn zhīfù, tuángòu wǎngzhàn
交易模式是买家在线(online)支付，团购网站
shōuqǔ dàyuē de fúwùfèi hòu, jiāng shèngyú de qián
收取大约10%的服务费后，将剩余的钱
zhuǎngěi shāngjiā.
转给商家。

Xiànzài, Yáng Yáng mǎi shénme dōngxi dōu xǐhuan tuángòu,
现在，杨洋买什么东西都喜欢团购，
tā hái jiànyì tā de péngyoumen cānjiā tuángòu. Dàjiā yìqǐ mǎi
他还建议他的朋友们参加团购。大家一起买
dōngxi, yìqǐ tán jiàgé, hái kěyǐ shǎo huā hěn duō qián. Cóng
东西，一起谈价格，还可以少花很多钱。从
yīng'ér nǎifěn dào mǎi qìchē mǎi fángzi, dōu kěyǐ tuángòu, nǐ
婴儿奶粉到买汽车买房子，都可以团购，你

zhǐyào shàng zhuānmén de tuángòu wǎngzhàn, bǎ zìjǐ de liánxì
只要上专门的团购网站，把自己的联系
fāngshì liúxià, tāmen dào shíhou huì tōngzhī nǐ gòumǎi.
方式留下，他们到时候会通知你购买。

Shāngjiā yě jiànjiàn xǐhuan shàng le zhèzhǒng fāngshì. Yì jiā
商家也渐渐喜欢上了这种方式。一家
zài Běijīng jīngyíngle liǎng nián duō de huǒguō gōngsī, rújīn yě
在北京经营了两年多的火锅公司，如今也
jiārùle tuángòu hángliè. Gōngsī de jīnglǐ shuō, shāngjiā cānyù
加入了团购行列。公司的经理说，商家参与
tuángòu zhǔyào shì wèile huòdé gèng duō gùkè, kuòdà qǐyè
团购主要是为了获得更多顾客，扩大企业
zhīmíngdù, zāi chūqī jiēduàn zhuànqián bìng bú shì zuì zhòngyào
知名度，在初期阶段赚钱并不是最重要
de. Lìngwài yì jiā yǒu yǐngxiǎng de guójì yǐnshí jítuán zài Zhōngguó
的。另外一家有影响的国际饮食集团在中国
kāile duō jiā fēndiàn, yě jīngcháng huì zài yìxiē zhīmíng
开了100多家分店，也经常会在一些知名
tuángòu wǎngzhàn shang tuīchū tèjià huódòng. Gōngsī de jīnglǐ
团购网站上推出特价活动。公司的经理
shuō: "Tuán gòu de lìrùn bìng bù gāo, dàn yīnwèi gùkè duō,
说："团购的利润并不高，但因为顾客多，
háishi kěyǐ dàilái búcuò de xiāoshòu chéngjì." Tā shuō, qǐyè
还是可以带来不错的销售成绩。"他说，企业
tuīchū tuángòu de shíjiān hé yōuhuì chéngdù, zhǔyào qǔjuéyú xiāofèi
推出团购的时间和优惠程度，主要取决于消费
de wàngjì hé dànjì, yǐjí gōngsī
的旺季(busy season)和淡季(off season)，以及公司

de xiāoshòu qíngkuàng děng.
的销售情况等。

nián kěyǐ kànzuò Zhōngguó wǎngluò tuángòu de "fēngkuángqī". Yóuyú hángyè de rùmén tiáojiàn bǐjiào dī, dàliàng tuángòu wǎngzhàn jízhōng yǒngxiàn, cānjiā tuángòu de rénshù yě dà fúdù zēngjiā. Tuángòu xiāofèi zhǔyào yǔ xiāofèizhě de niánlíng, shōurù hé jiàoyù bèijǐng yǒuguān. Cānjiā tuángòu de rénqún yìbān yǒu yídìng wénhuà shuǐpíng, bìng nénggòu jiēchù dào diànzǐ shāngwù,
2010年可以看作中国网络团购的"疯狂期"。由于行业的入门条件比较低，大量团购网站集中涌现，参加团购的人数也大幅度增加。团购消费主要与消费者的年龄、收入和教育背景有关。参加团购的人群一般有一定文化水平，并能够接触到电子商务，

yě jiù shì shuō zhōngděng shōurù de niánqīng xiāofèizhě zhàn duōshù .
也就是说 中 等 收入的 年 轻 消 费 者 占 多 数。

Dàn jiānglái tuángòu de fāzhǎn kěnéng shì tuīdòng dīshōurù de rén yě
但将来团购的发展可能是推动低收入的人也

cānyù jìnlái . Tuángòu de fāngshì yǒulìyú dǎjī hángyè bàolì
参与进来。团购的方式有利于打击行业暴利

, ràng xiāofèizhě dédào shíhuì
(profit that is abnormally large), 让 消费者得到实惠(real

, bìmiǎnle chuántǒng hángyè liútōng huánjié de gè zhǒng
benefit), 避免了 传 统 行业流通环节的各 种

làngfèi , tānwū hé bú tòumíng .
浪费、贪污和不透明。

Rúguǒ lǎobǎixìng yīn wùjià tài gāo ér jiǎnshǎo xiāofèi , zhěnggè
如果老百姓因物价太高而减少消费，整个

guójiā de jīngjì jiù hěn nán fāzhǎn . tígōngle jiàowéi piányi
国家的经济就很 难发展。团购提供了较为便宜

de chǎnpǐn hé fúwù , cìjīle rénmen de xiāofèi xūqiú . Cóng
的产品和服务，刺激了人们的消费需求。从

zhè diǎn láikàn , tuángòu shì xiāofèizhě , shāngjiā hé shìchǎng “ sān
这 点来看，团购 是消费者、商家和市 场 “三

yíng ” de yì zhǒng xiāofèi móshì .
赢”的一 种 消费模式。

策　　划：黄友义　王君校　韩　晖　付　眉
责任编辑：杨　晗
英文编辑：范逊敏　薛彧威
封面设计：何思倩

图书在版编目（CIP）数据

购物那些事儿：汉英对照 / 李禄兴编著. -- 北京 ：华语教学出版社，2018.10
（当代中国微记录）
ISBN 978-7-5138-1640-3

Ⅰ. ①购… Ⅱ. ①李… Ⅲ. ①汉语—对外汉语教学—语言读物 Ⅳ. ①H195.5

中国版本图书馆CIP数据核字(2018)第226473号

购物那些事儿

李禄兴　编著
*

华语教学出版社有限责任公司出版
（中国北京百万庄大街24号 邮政编码100037）
电话：(86)10-68320585 68997826
传真：(86)10-68997826 68326333
网址：www.sinolingua.com.cn
电子信箱：hyjx@sinolingua.com.cn
北京玺诚印务有限公司印刷
2019年（32开）第1版
2019年第1版第1次印刷
ISBN 978-7-5138-1640-3
定价：29.00元